하브 각을 키우는

진 짜 진 짜

독서논술

P1권

예비 초등

Siso Study

저자 박현창

한양대학교 국어교육과를 졸업하고 독서교육의 선구자인 박영목 교수님을 사사했습니다. 대학 졸업 무렵 은사의 권유로 국어 교재 연구에 뛰어들었고, 국어 교재 기획과 개발에서 영향력 있는 전문가로 활동하고 있습니다.
저서로는 〈기적의 독서논술〉 전 12권, 〈어휘 바탕 다지기〉 전 4권, 〈한자 어휘 바탕 다지기〉 전 4권, 〈퀴즈 천자문〉 2,3권, 〈퍼즐짱 한자박사〉가 있습니다.
재능한글, 재능국어 초중등 프로그램, 재능국어 읽기 학습 프로그램, 제6차 교육과정 고등학교 독서 교과 2종을 개발하였고, 중국 선전 KIS 국제학교 교사, 중국 선전 삼성 SDI 교육 자문 위원으로 활동했으며, 하브루타 창의인성 교육연구소 이사로 활동 중입니다.

저자 장성애

교육학을 연구하고 물음과 이야기가 있는 개념 있는 삶을 지향하는 하브루타 코칭과정을 개발했습니다. 독서, 학습, 토론, 상담, 머니십교육 등을 진행하며 마음샘 교육심리 연구소와 하브루타 창의인성 교육연구소 소장으로 활동 중입니다.
저서로는 〈영재들의 비밀습관 하브루타〉, 〈질문과 이야기가 있는 행복한 교실〉(공저), 〈엄마 질문공부〉가 있습니다.
유아부터 성인까지 다양한 학습자들을 만나면서 부모 교육과 교사 연수를 비롯해 각 교육 기관, 사회 기관, 기업 등에서 강의하고 있습니다.

진짜진짜 독서논술 P1권 예비 초등

초판 발행 2021년 10월 22일
초판 2쇄 2024년 11월 28일
글쓴이 박현창, 장성애
그린이 박정제, 이성희, 김청희, 최준규
편집 김아영
기획 한동오
펴낸이 엄태상
디자인 이건화
마케팅 본부 이승욱, 왕성석, 노원준, 조성민, 이선민
경영기획 조성근, 최성훈, 김다미, 최수진, 오희연
물류 정종진, 윤덕현, 신승진, 구윤주
펴낸곳 시소스터디
주소 서울시 종로구 자하문로 300 시사빌딩
주문 및 문의 1588-1582
팩스 02-3671-0510
홈페이지 www.sisostudy.com
네이버 카페 cafe.naver.com/sisasiso
블로그 blog.naver.com/sisostudy
인스타그램 instagram.com/siso_study
이메일 sisostudy@sisadream.com
등록일자 2019년 12월 21일
등록번호 제2019-000149호

ISBN 979-11-91244-54-0 64800

머리말

우리 아이들이 이미 접어들었고 살아가야 할 세상을 흔히 지식정보화 사회, 지식혁명의 시대라고 합니다. 그래서 고도의 이해와 표현 능력, 논리적이고 창의적인 듣기 · 말하기 · 읽기 · 쓰기가 요구됩니다. 사회와 학교에서 국어 교육의 중요성을 새삼 인식하게 된 까닭이 여기에 있습니다. 논리적이고 창의적인 언어 사용이란 이치에 맞게 조리 있게 말과 글을 쓰는 것이고 나아가 이미 존재하고 있었으나 미처 깨닫지 못했던 이치를 발견해 내는 것입니다. 요약하면 지식과 지혜입니다. 지식이 아는 것이라면 지혜는 그 앎을 적용 또는 활용하는 것입니다. 이 시대는 지식에서 추출하고 정제한 지혜가 더욱 필요한 때입니다. 지혜로운 듣기 · 말하기 · 읽기 · 쓰기가 세상과 사람에 대한 근본 원리를 이해하는 데 값어치를 합니다.

그러나 국어 교육이 여전히 지혜보다는 지식에 편중되어 있음이 참 안타깝습니다. 지식을 외고 저장하기에 정신없이 바쁩니다. 물론 지혜의 바탕은 지식입니다. 하지만 딱 지식에만 머물러 있어서 교육에 들이는 노력과 비용이 아깝기만 합니다.

지향할 가치가 바뀌었으니 당연히 그것을 성취할 방법과 평가도 바뀌어야 합니다. 이전 세대에게 적용되었거나 써먹었던 가치, 방법과 평가가 주는 익숙함의 관성을 탈피해야 합니다.

논리적이고 창의적인 사고력은 사실 아이들이 어른들보다 훨씬 낫습니다. 서너 살 먹은 아이들을 보세요. 무엇인가 끊임없이 묻고 이해하려 듭니다. 그리고 시인의 감수성에 버금가게 감동적으로 표현합니다. 다만 어른들이 이해하지 못하고 받아들이기 껄끄러워할 뿐입니다. 어른들의 생각맞춤법에 어긋난다고 하여 얕잡아보고 무시해 왔지만 철학은 언제나 그들의 논리와 창의가, 지식과 지혜가 마땅하고 새삼 놀랍다고 증명합니다.

그래서 해결책은 의외로 뻔하고 쉽습니다. 아이들에게 마음껏 의견을 내놓고 따지고 판단하는 토론의 멍석을 깔아주는 것입니다. 여기에 딱 한 가지 '고도'의 기술이 필요하기는 합니다. 아이들의 듣기 · 말하기 · 읽기 · 쓰기와 이를 바탕으로 한 토론에 그저 토닥토닥 격려하고 긍정의 추임새를 넣어주며 존중해 주는 것입니다. 그래서 이 책을 내놓습니다.

저자 **박현창**

우리 책을 소개합니다.

1 진짜진짜 독서논술은 어떤 책인가요?

질문과 대화, 토론과 논쟁을 통해 창의적으로 답을 찾는 하브루타 학습법을 도입한 독서논술 학습서예요. 주어진 논쟁거리에 자유롭게 묻고 답하며 생각을 마음껏 키울 수 있어요. 더불어 읽기와 쓰기, 어휘 문제를 풀면서 국어력도 키워 줘요.

진짜진짜 독서논술은 언어 능력을 개선해서 사고력과 창의력을 키워 말과 글로 자기 생각을 표현할 수 있는 능력을 기르는 학습서예요.

2 하브루타 학습법이 무엇인가요?

하브루타는 짝을 지어 서로 질문을 주고받으며 공부한 것에 대해 논쟁하는 유대인의 전통적인 토론 교육 방법이에요.

정해진 답을 찾는 게 아니라 쟁점에 대해 다양한 생각과 시각을 나누는 창의적인 학습법이죠. 질문을 주고받는 과정에서 자신이 아는 것과 모르는 것을 인지해서 부족한 점을 보완하는 메타인지 능력도 키울 수 있어요.

하브루타 학습법은 사고력을 기르는 데 적합한 공부 방식으로, 우리 책은 토마토 모양에 하브루타식 질문을 담았어요.

3 왜 토마토 모양에 하브루타식 질문을 넣었나요?

토마토는 '토닥토닥 마음껏 토론하기'를 줄인 말이에요. 하브루타 토론을 마음껏 해 보기를 바라는 마음을 담은 표현이지요. 질문은 다섯 가지 유형으로 나눠지는데, 이 유형은 바로 사고력을 다섯 가지로 구분한 거예요. 사고력의 다섯 가지 유형은 다음과 같아요.

사실적 이해	추론적 이해	비판적 이해	창의적 이해	논리적 이해

토닥토닥 마음껏 토론해 봐

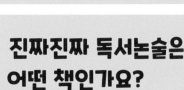

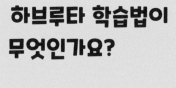

4 사고력의 다섯 가지 유형을 소개합니다.

사실적 이해

읽은 내용을 사실 그대로 이해하고 표현하는 것

사실

1 똘쇠가 냄새 값으로 치른 것은 무엇일까요? 알맞은 것을 찾아 동그라미 쳐 보세요.

추론적 이해

직접 드러나지 않은 내용이나 생략된 부분을 이해하고 표현하는 것

추론

1 할머니가 잃어버린 동전이 한 닢이라는 것을 알았을 때, 세희의 마음은 어땠을까요? 세희의 마음을 잘 나타낸 낱말에 동그라미 쳐 보세요.

비판적 이해

일정한 기준에 따라 옳고 그름, 좋고 나쁨을 가치 판단하는 것

비판

2 올빼미와 독수리 중에서 누가 잘못했다고 생각하나요? 동그라미 쳐 보세요.

논리적 이해

원인과 결과를 논리적인 규칙과 형식에 맞게 이해하고 표현하는 것

논리

2 선장은 왜 하인이 울음을 그치게 만들겠다며 나섰을까요? 알맞은 이유를 말한 친구에게 엄지척 스티커를 붙여 주세요.

울음소리가 시끄러워서!
배를 책임지는 사람이니까!
하인을 배 밖으로 던지고 싶어서!
스티커
스티커
스티커

창의적 이해

읽은 내용을 바탕으로 상황과 조건에 맞게 생각을 창조하고 표현하는 것

창의

3 하인의 울음소리 때문에 화가 난 주인님의 표정은 어땠을까요? 그려 보세요.

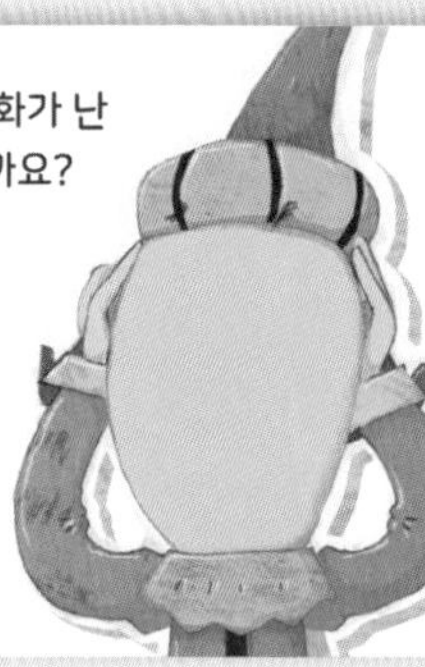

5 무엇을 읽고 문제를 푸나요?

읽는 건 정말 중요해요. 하지만 **무엇**을 읽는지는 더 중요해요. 선별되지 않은 글을 마구잡이로 읽으면 오히려 **독해력**을 기르는 데 방해가 되죠.

진짜진짜 독서논술은 오랫동안 읽혀 충분히 검증된 글감을 선택했어요. 또한 어린이 연령에 맞게 새롭게 각색해서 재미있게 술술 읽을 수 있어요.

6 어떤 글감을 골랐나요?

2015개정 교육과정은 창의융합형 인재가 갖춰야 할 여섯 가지 핵심역량을 제시했어요. **자기관리 역량, 지식정보처리 역량, 창의적 사고 역량, 심미적 감성 역량, 의사소통 역량, 공동체 역량**이에요.

진짜진짜 독서논술은 이 핵심역량을 기르는 데 적합한 글감을 선별했어요. 창의융합형 인재로 성장하는 데 필요한 스스로 활동에 참여하고 주제를 탐구할 수 있는 글감을 골랐어요.

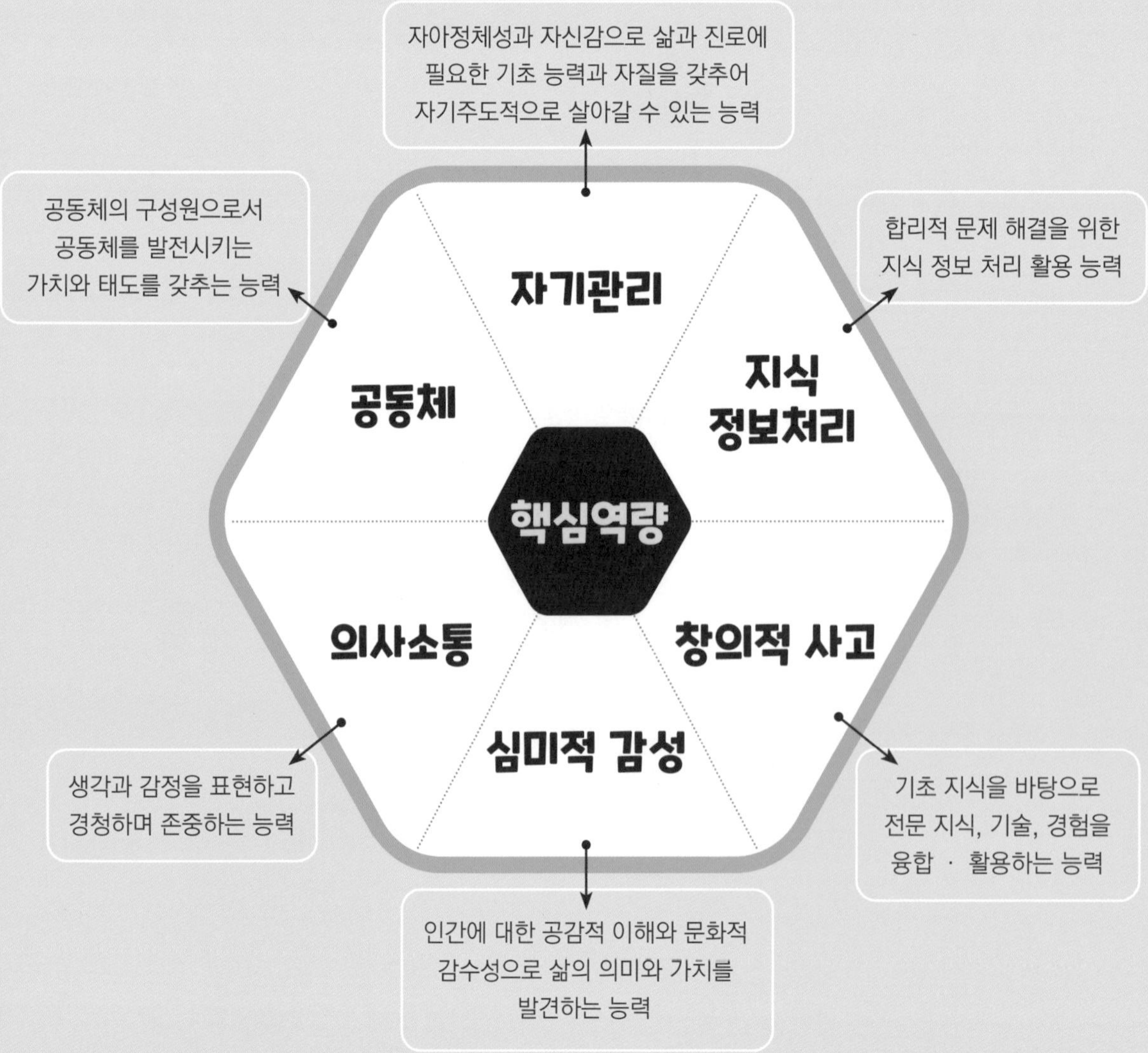
자아정체성과 자신감으로 삶과 진로에 필요한 기초 능력과 자질을 갖추어 자기주도적으로 살아갈 수 있는 능력
공동체의 구성원으로서 공동체를 발전시키는 가치와 태도를 갖추는 능력
합리적 문제 해결을 위한 지식 정보 처리 활용 능력
자기관리
공동체
지식 정보처리
핵심역량
의사소통
창의적 사고
심미적 감성
생각과 감정을 표현하고 경청하며 존중하는 능력
기초 지식을 바탕으로 전문 지식, 기술, 경험을 융합 · 활용하는 능력
인간에 대한 공감적 이해와 문화적 감수성으로 삶의 의미와 가치를 발견하는 능력

7 학습을 이끌어가는 캐릭터와 활동지를 소개합니다.

진짜진짜 독서논술은 창의융합형 학습을 주도적으로 해낼 수 있는 학습서예요. 학습이 어렵지 않도록 도움을 주는 캐릭터가 등장해요. 친근하고 재미있는 캐릭터를 따라가면서 즐겁게 학습할 수 있어요. 문제 해결에 도움을 주는 활동지도 있어요. 활동지를 적극적으로 활용하면서 학습에 도움을 받을 수 있어요.

가라사대 왕

이야기나라를 다스리는 가라사대왕은 너무 바빠요. 그래서 이야기나라에서 벌어지는 사건을 해결해 줄 친구들을 기다려요. 우리 친구들이 가라사대왕 대신에 이야기나라의 문제를 해결해 보세요.

뿌토

학습을 도와줄 친구도 있어요. 눈도 크고 귀도 커서 보고 들은 것이 많은 똑똑한 뿌토예요. 뿌토가 문제와 활동마다 등장해서 도움을 줄 거예요.

낱말 카드

이야기에서 다룬 어휘를 선별해서 모아 놓은 낱말 카드예요. 낱말 카드의 어휘는 **서울대 국어 연구소**에서 제시한 **등급별 국어 교육용 어휘**에서 선별했어요. 난이도에 따라 별등급을 매겨 놓았어요.

우리 책의 구성을 소개합니다.

읽기 전 활동

준비하기

이야기를 이해하기 위해 배경지식을 확인하며 이야기에 대한 호기심을 높이는 활동

훑어보기

이야기에 나오는 그림을 먼저 보고 내용을 상상해 보면서 이해를 높이는 활동

읽기 활동

들어보기

주제를 생각하며 이야기를 직접 읽는 독해 활동

따져보기

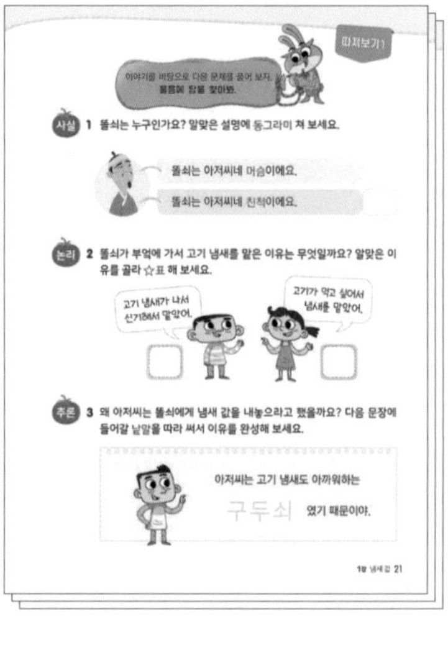

사고력을 기르는 하브루타식 문제를 풀어보며 토론해 보는 활동

- **읽기 전 활동:** 내용을 짐작하고 관련 정보와 사전 지식을 검토해 보는 활동
- **읽기 활동:** 이야기를 읽고, 문제를 풀며 사고력을 높이는 활동
- **읽은 후 활동:** 이야기를 창의적, 논리적으로 해석하며 생각을 키우는 활동

읽은 후 활동

간추리기

내용을 잘 이해하고 기억하는지 확인하는 활동

짚어보기

창의융합형 활동으로 창의력을 기르는 활동

보고하기

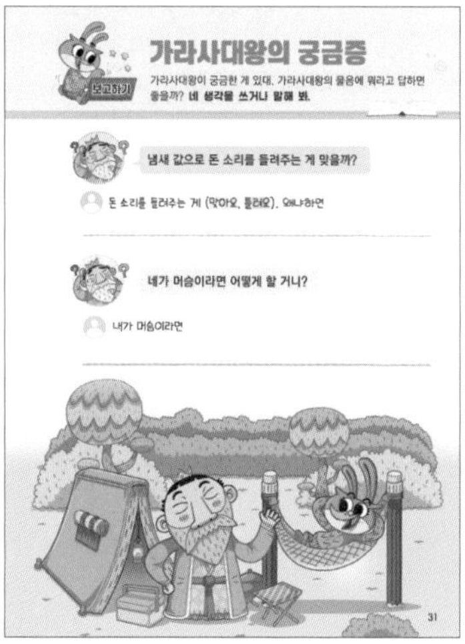

이야기의 주제를 창의적으로 해석해서 글로 표현하는 쓰기 활동

어휘다지기

주요 어휘와 낱말을 문제로 풀면서 익히는 어휘 활동

예비 초등 1권과 2권의 커리큘럼을 소개합니다.

권	장	제목	핵심역량	키워드	글감	관련 교과
P1	1	**냄새 값**	창의적 사고	지혜, 재치	우리나라 옛이야기	• [국어 1학년 1학기] 생각을 나타내요 • [국어 2학년 1학기] 마음을 짐작해요 • [봄 2학년 1학기] 어떤 표정일까요
	2	**죽은 돈? 산 돈?**	공동체	경제순환	우리나라 옛이야기	• [국어 1학년 2학기] 무엇이 중요할까요 • [가을 1학년 2학기] '도와주세요' 소리를 들었어요 • [국어 2학년 1학기] 차례대로 말해요
	3	**뱃멀미와 바다**	심미적 감성	공감	사아디 작품 (페르시아)	• [국어 1학년 2학기] 소리와 모양을 흉내 내요 • [국어 2학년 1학기] 상상의 날개를 펴요 • [국어 2학년 1학기] 자신 있게 말해요
	4	**올빼미와 독수리**	의사소통	상호 작용	중국 옛이야기	• [국어 1학년 1학기] 글자를 만들어요 • [국어 1학년 2학기] 인물의 말과 행동을 상상해요 • [국어 2학년 1학기] 낱말을 바르고 정확하게 써요
P2	1	**아버지와 아들과 나귀**	지식정보 처리	판단력	이솝 작품	• [국어 1학년 2학기] 문장으로 표현해요 • [국어 1학년 2학기] 겪은 일을 글로 써요 • [국어 2학년 2학기] 인물의 마음을 짐작해요
	2	**사자 왕자의 선생님**	자기관리	정체성	크릴로프 작품 (러시아)	• [국어 1학년 1학기] 글자를 만들어요 • [국어 2학년 2학기] 일이 일어난 차례를 살펴요 • [과학 3학년 2학기] 동물의 생활
	3	**집고양이가 없으면**	공동체	역할	이광정의 〈망양록〉	• [국어 1학년 2학기] 인물의 말과 행동을 상상해요 • [국어 2학년 2학기] 장면을 떠올리며 • [국어 2학년 2학기] 주요 내용을 찾아요
	4	**삼층집 짓기**	지식정보 처리	고집, 아집	〈백유경〉	• [국어 1학년 1학기] 생각을 나타내요 • [여름 2학년 1학기] 이런 집 저런 집 • [국어 2학년 2학기] 인물의 마음을 짐작해요

차례

어서 와, 이야기나라에 온 것을 환영해!

나는 이야기나라의 가라사대왕이야.

만나서 정말 반가워!

내가 다스리는 이야기나라는 우리들의 상상 속에 있는 나라야.

이야기로 이루어진 별난 곳이지.

그래서 재밌는 일도 많지만 골치 아픈 문제들이 자꾸 일어나.

이야기나라의 문제들을 해결하는 데 네 도움이 필요해.

어렵지 않냐고? 아주 쉬워, 뿌토가 알려주는 대로 따라 하기만 하면 돼.

안녕?
내가 바로
'뿌토'야.

부엉이 같은 큰 눈에
토끼처럼 귀도 크지?
그래서 뭐든 잘 보고 잘 들어서
아는 것도 엄청 많아.
내가 이끄는 대로 자신 있게
네 생각을 말하면 돼.
그럼 이야기나라로 가 볼까?

1장

냄새 값

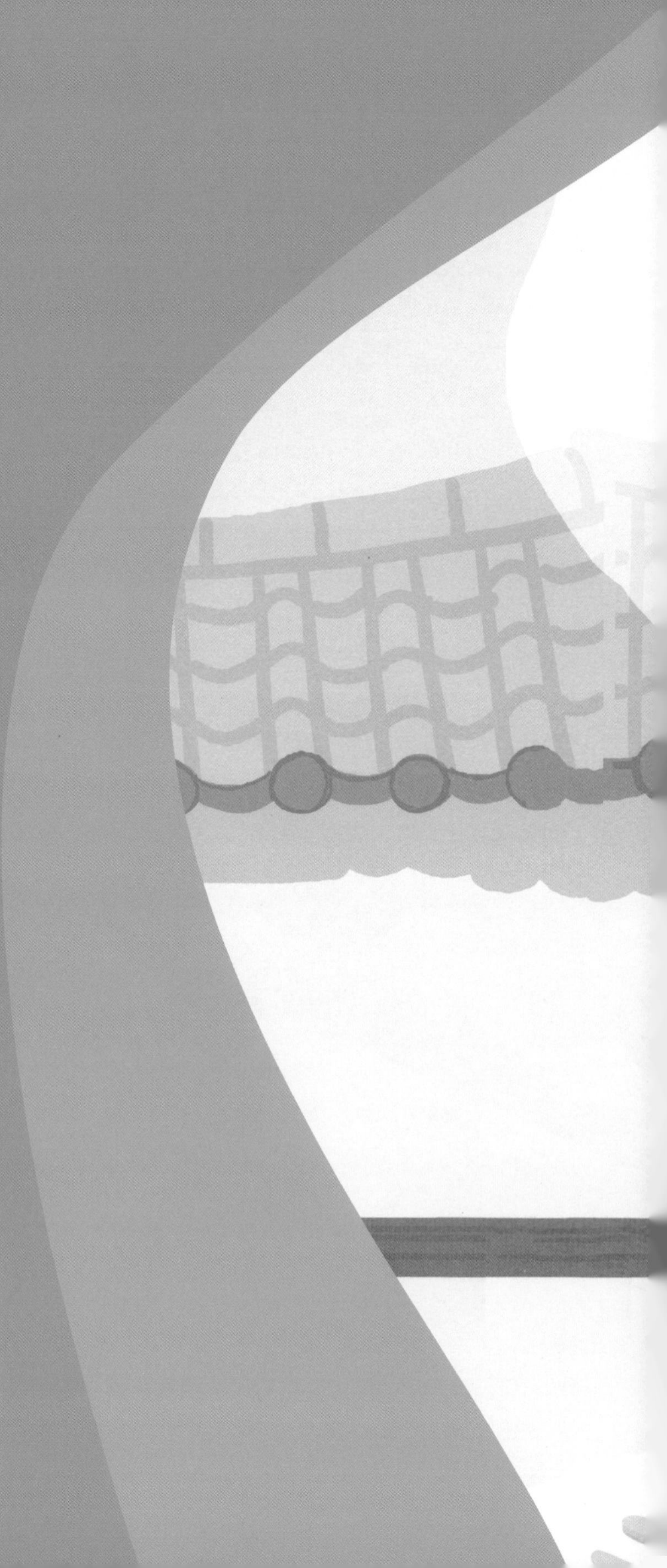

관련교과

- [국어 1학년 1학기] 생각을 나타내요
- [국어 2학년 1학기] 마음을 짐작해요
- [봄 2학년 1학기] 어떤 표정일까요

구두쇠 아저씨가 고기를 구웠는데, 글쎄 냄새를 맡은 머슴에게 냄새 값을 내라고 했대. **머슴이 어떻게 냄새 값을 치르는지 이야기를 읽어 봐.**

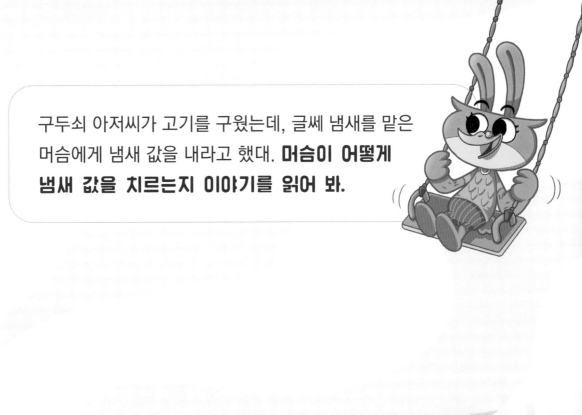

준비하기

향수 가게에서

매일 향수 가게에 와서 향기만 맡고 그냥 가는 손님이 있대. 손님과 가게 주인의 말을 듣고, **누구 말이 옳은지 동그라미 쳐 봐.**

흠, 오늘도 그냥
향기만 맡고 가야지!

매일 우리 가게에서
향기를 맡으니까,
이제부터는 향기 값을
내세요!
흥, 향수 가게에서
향기를 맡는 건 당연해요.
향기 값은 낼 수 없어요.

훑어보기

냄새 값 그림

이야기에 나오는 그림을 미리 보여 줄게.

어떤 이야기가 펼쳐질지 그림을 보면서 상상해 봐.

그림을 보면서 무슨 일이 벌어졌는지 짐작해 보자.

짐작한 내용을 상상해서 이야기해 보자.

짐작되지 않거나
궁금한 그림에는 동그라미!

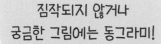

들어보기

냄새 값

이야기를 읽으면서, 중요한 낱말은 낱말 카드로 익혀 보자.

번호가 쓰인 낱말의 뜻을 낱말 카드에서 찾아봐. 낱말 카드 1쪽

며칠 전에 먼 마을에 사는 친척 아저씨를 찾아갔어요. 그런데 친척 아저씨와 아저씨네에서 일하는 ①**머슴** 똘쇠 사이에서 우습기도 하고 ②**얼떨떨한** 일이 있었어요. 무슨 일이냐고요?

우리 아저씨는 소문난 구두쇠예요. 어떤 손님이 와도 밥 한 끼 내놓은 적이 없었다니까요. 가까운 친척이 찾아와도 마찬가지였죠. 그래서 저는 며칠 동안 먹을 쌀과 고기를 싸 들고 아저씨 집으로 갔어요.

제가 찾아가자 마치 잔치가 벌어진 것 같았어요. 저와 아저씨네 식구가 배부르게 먹을 만큼 고기가 넉넉했거든요. 그런데 아저씨는 고기 굽는 냄새가 온 동네에 퍼져 나가자 아까워하지 뭐예요.

그때 마침 아저씨네 머슴 똘쇠가 산에서 나무를 해 가지고 돌아왔어요.

"흠흠, 이게 도대체 얼마 만에 맡는 고기 냄새야!"

똘쇠는 침을 꼴깍꼴깍 삼키더니 코를 킁킁거리며 부엌으로 다가갔어요. 그러더니 코를 벌름벌름하면서 냄새를 마음껏 들이켰지요.

들어보기

그런 똘쇠를 지켜보던 아저씨가 버럭 소리를 질렀어요.

"똘쇠 이놈아, 누구 맘대로 남의 고기 냄새를 맡는 거야? 내 허락도 없이 고기 냄새를 맡았으니 고기 값을 내놓아라!"

똘쇠는 기가 막혀서 [3] **대꾸했어요**.

"영감님, 고기 값이라니요? 저는 고기는 한 조각도 먹지 않았는데요?"

그러자 아저씨는 똘쇠에게 눈을 [4] **부라리며** 말했어요.

"흥, 그럼 고기 냄새는 맡았으니까 냄새 값이라도 내놔라. 세상에 공짜는 없는 법이야!"

따져보기1

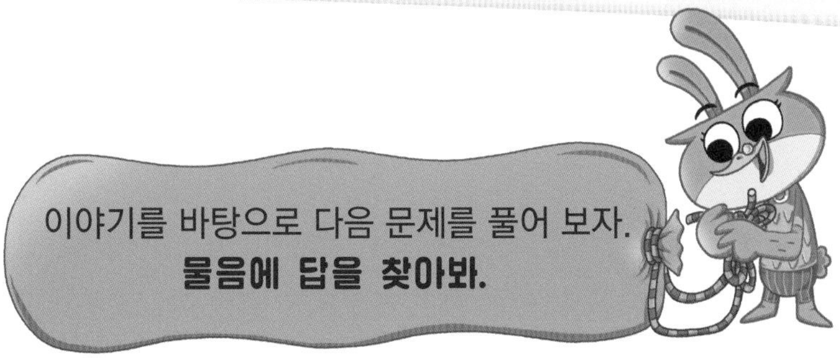
이야기를 바탕으로 다음 문제를 풀어 보자.
물음에 답을 찾아봐.

사실 **1** 똘쇠는 누구인가요? 알맞은 설명에 동그라미 쳐 보세요.

똘쇠는 아저씨네 머슴이에요.

똘쇠는 아저씨네 친척이에요.

논리 **2** 똘쇠가 부엌에 가서 고기 냄새를 맡은 이유는 무엇일까요? 알맞은 이유를 골라 ☆표 해 보세요.

고기 냄새가 나서
신기해서 맡았어.
고기가 먹고 싶어서
냄새를 맡았어.

추론 **3** 왜 아저씨는 똘쇠에게 냄새 값을 내놓으라고 했을까요? 다음 문장에 들어갈 낱말을 따라 써서 이유를 완성해 보세요.

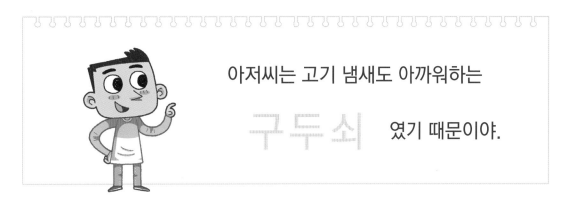

아저씨는 고기 냄새도 아까워하는

구두쇠 였기 때문이야.

들어보기

똘쇠는 들릴 듯 말 듯 작은 목소리로 중얼중얼했어요.

"아휴, 정말 지독하군. 그렇다면 나도…."

똘쇠는 싱글싱글 웃으며 말했어요.

"에그, 고기 냄새가 어찌나 좋던지 깜빡하고 값을 치르지 않았네요. 당연히 드려야지요, 그럼요."

똘쇠는 돈주머니를 꺼내 들고는 아저씨에게 가까이 오라는 손짓을 했어요. 아저씨가 성큼 다가오자 똘쇠는 돈주머니를 아저씨 귀에다 대고 흔들었어요.

이야기를 바탕으로 다음 문제를 풀어 보자.
물음에 답을 찾아봐.

비판 **1** 냄새 값을 내놓으라는 아저씨의 요구가 옳다고 생각하나요? ○나 ×에 색칠해 보세요.

옳다 ○ | 옳지 않다 ×

추론 **2** 냄새 값을 내라고 했을 때 똘쇠는 기분이 어땠을까요? 똘쇠의 기분을 표정 스티커를 붙여서 표현해 보세요.

논리 **3** 다음에 이어서 들어갈 똘쇠의 말로 알맞은 것을 찾아 선을 그어 보세요.

아휴, 정말 지독하군.
그렇다면 나도…

- 가만있을 수 없지.
- 냄새 값을 내야겠군.

들어보기

짤랑짤랑! 돈주머니에서 동전이 부딪히는 소리가 났어요.

"영감님, 냄새 값입니다. 이제 되었죠?"

눈이 둥그레진 아저씨가 똘쇠를 바라봤어요.

"이게 냄새 값이라고? 도대체 무슨 말이냐?"

"에이 참, 고기를 먹지도 않았는데 냄새 값으로 돈을 낼 수는 없잖아요. 돈 소리를 들려주는 것으로 값을 ⑤**치르는** 수밖에요!"

똘쇠는 싱긋 웃으며 말했어요. 아저씨는 아무 말도 하지 못하고 얼굴만 빨개지더라고요.

아저씨도 지독하지만 똘쇠도 참 ⑥**약은** 것 같죠?

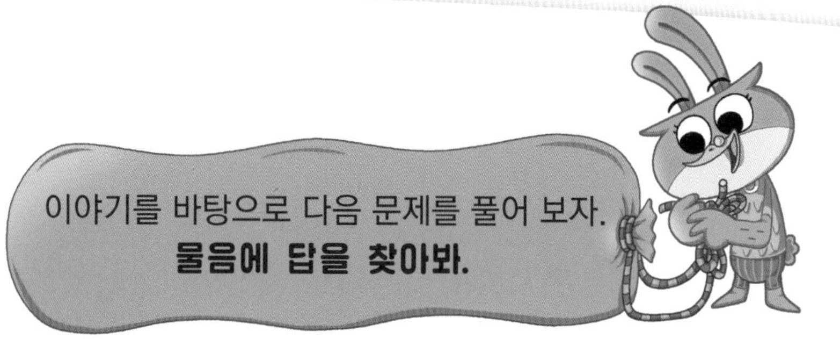
이야기를 바탕으로 다음 문제를 풀어 보자.
물음에 답을 찾아봐.

사실 **1** 똘쇠가 냄새 값으로 치른 것은 무엇일까요? 알맞은 것을 찾아 동그라미 쳐 보세요.

짤랑 짤랑

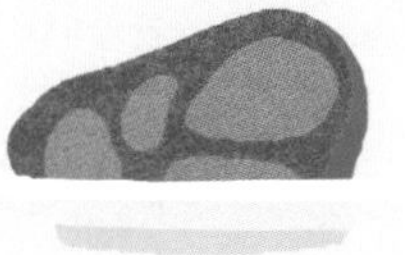

비판 **2** 똘쇠가 냄새 값을 치른 방법이 맞다고 생각하나요? ○나 ✕에 색칠해 보세요.

맞다 ○ 틀리다 ✕

추론 **3** 아저씨는 왜 얼굴이 빨개졌을까요? 아저씨의 속마음과 어울리는 낱말을 찾아 선을 그어 보세요.

- 화난다
- 부끄럽다
- 슬프다

간추리기

구두쇠 아저씨

친척이 퍼즐을 만들었는데, 아저씨가 자기 이야기를 그렸다고 몇 조각을 가져갔어. **빈 곳에 스티커를 붙여서 그림을 완성해 봐.**

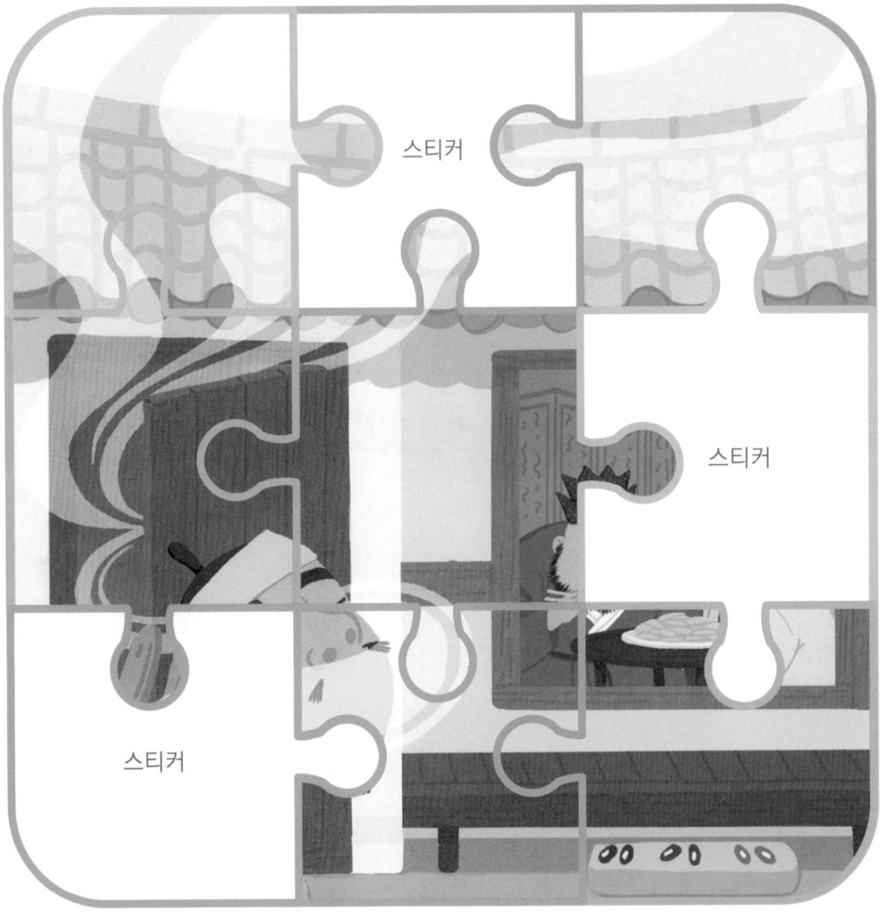
스티커
스티커
스티커

아저씨 왜 그림을 가져가세요?
내 이야기를 그렸으니까 그림도 내 거야!

냄새 값은 얼마?

똘쇠와 아저씨는 각각 냄새 값을 얼마로 생각할까? **이들이 생각하는 냄새 값을 짐작해서 돈 스티커를 붙여 봐.**

스티커
스티커
췟! 그까짓 냄새 값은…?
아까운 내 고기의 냄새 값은…?

짚어보기2

받은 것과 준 것

똘쇠가 아저씨에게 받은 것은 무엇이고, 아저씨에게 준 것은 무엇일까? **어울리는 것을 찾아 선을 그어 봐.**

똘쇠가
받은 것은?

똘쇠가
준 것은?

내 고기 냄새 값 내놔.
뭐라고요? 냄새 값을 내라고요?

똘쇠가 받은 것 ●

똘쇠가 준 것 ●

● 
짤랑 짤랑

● 

짚어보기3

냄새는 냄새로

아주머니가 냄새는 냄새로 값을 치러야 한다고 했어. 똘쇠는 어떤 냄새로 어떻게 값을 치르면 좋을까? **그림을 그려 봐.**

냄새는 냄새로
값을 치르는 게 맞아!
어떤 음식이
고기만큼 맛있는
냄새가 날까?

냄새 값

값을 치르거나 물어내야 하는 냄새가 있을까?

다음에서 찾아 동그라미 치고, 이유를 말해 봐.

가라사대왕의 궁금증

가라사대왕이 궁금한 게 있대. 가라사대왕의 물음에 뭐라고 답하면 좋을까? **네 생각을 쓰거나 말해 봐.**

냄새 값으로 돈 소리를 들려주는 게 맞을까?

돈 소리를 들려주는 게 (맞아요, 틀려요). 왜냐하면

네가 머슴이라면 어떻게 할 거니?

내가 머슴이라면

어휘다지기

낱말 뒤풀이

아저씨 친척이 낱말 퀴즈 뒤풀이를 열었어. 낱말 퀴즈를 풀어서 생각하는 힘을 다져 보자고. **낱말 카드를 보면서 문제를 풀어 봐.**

1 다음 문장에 들어갈 알맞은 낱말을 완성해서 써 보세요.

아저씨네 ㅁ ㅅ 은

고기가 너무 먹고 싶었어요.

2 다음에서 똘쇠의 특징을 잘 나타낸 낱말을 찾아 동그라미 쳐 보세요.

냄새 값입니다.
짤랑 짤랑
똘쇠
아저씨

약다	어리석다	멍청하다

3 구두쇠 아저씨가 오늘 있었던 일을 일기에 썼는데 틀린 글자가 있어요. 바르게 고쳐 써 보세요.

20xx년 xx월 xx일 x요일

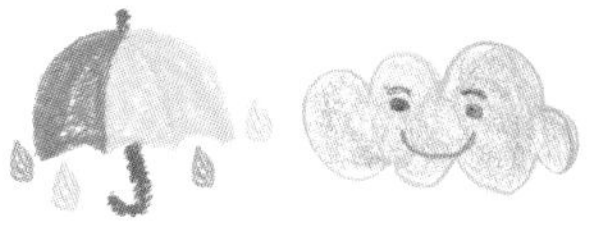

제목: 내 고기 냄새 값 돌려줘!

내 소중한 고기 냄새를 맡은 머슴에게

냄새 값을 ❶치루라고 했다.

그런데 머슴이 눈을 ❷무라리며 먹지도 않은

고기의 냄새 값을 낼 수 없다고 ❸댓글했다.

기막혀!

남의 고기 냄새 값을 공짜로 맡으면 안 되지.

❶ ☐☐☐☐ ❷ ☐☐☐☐

❸ ☐☐☐☐

2장

죽은 돈? 산 돈?

관련교과

- **[국어 1학년 2학기]** 무엇이 중요할까요
- **[가을 1학년 2학기]** '도와주세요' 소리를 들었어요
- **[국어 2학년 1학기]** 차례대로 말해요

할머니가 동전 한 닢을 찾아 준 세 사람에게 동전 세 닢을 주었대. 한 닢을 얻고 세 닢을 주면 손해가 아닐까? **이야기를 읽어 봐.**

준비하기

이상한 은행

은행에서는 찢어진 돈을 새 돈으로 바꿔 줘. 찢어진 돈을 받고 새 돈을 주면 손해를 보는 게 아닐까? **네 생각에 동그라미 쳐 봐.**

은행이 손해를 보는 거예요.

은행이 손해를 보는 게 아니에요.

훑어보기

죽은 돈? 산 돈? 그림

이야기에 나오는 그림을 미리 보여 줄게.

어떤 이야기가 펼쳐질지 그림을 보면서 상상해 봐.

그림을 보면서 무슨 일이 벌어졌는지 짐작해 보자.

짐작한 내용을 상상해서 이야기해 보자.

짐작되지 않거나
궁금한 그림에는 동그라미!

들어보기

죽은 돈? 산 돈?

이야기를 읽으면서, 중요한 낱말은 낱말 카드로 익혀 보자.

번호가 쓰인 낱말의 뜻을 낱말 카드에서 찾아봐. 낱말 카드 3쪽

제 이름은 세희고요, 제 위로는 하니 언니와 두리 언니가 있어요. 우리는 엄마 심부름을 가고 있었어요. 막 다리를 건너려는데 다리 밑에서 할머니가 보였어요. 할머니는 치마를 걷어붙이고는 졸졸 흐르는 냇물 속을 살펴보고 있었어요. 뭔가를 1 **애타게** 찾고 있는 듯했지요.

하니 언니가 할머니께 물었어요.

"할머니, 뭘 잃어버리셨어요?"

"동전을 냇물에 빠뜨렸지 뭐냐! 너희들이 동전을 찾도록 좀 도와주렴. 동전을 찾으면 꼭 2 **보답할게.**"

우리는 할머니를 도우려고 다리 밑으로 내려갔어요. 힘을 합쳐 냇물 속을 3 샅샅이 뒤졌지요. 다행히 두리 언니가 동전 한 닢을 찾아냈어요.

"여기 찾았어요! 할머니 동전!"

동전 한 닢을 되찾은 할머니는 마치 큰돈이라도 되찾은 것처럼 너무너무 기뻐했어요. 겨우 동전 한 닢을 찾았다고 그렇게 기뻐하는 할머니를 보니 조금 이상했어요.

그런데 더 이상한 것은 할머니께서 되찾은 동전을 두리 언니에게 주시는 거예요.

"동전을 찾아 주었으니 보답으로 이 동전을 받으렴."

그러고는 돈주머니에서 동전 두 닢을 더 꺼내서 한 닢은 하니 언니에게 다른 한 닢은 저에게 주셨어요.

"너희들도 동전을 찾는 데 도움을 주었으니 이 동전을 받으렴."

좀 이상하지 않아요? 동전 한 닢을 찾고 동전 세 닢을 쓰면 결국 할머니가 손해를 보는 거잖아요.

이야기를 바탕으로 다음 문제를 풀어 보자.
물음에 답을 찾아봐.

추론 **1** 할머니가 잃어버린 동전이 한 닢이라는 것을 알았을 때, 세희의 마음은 어땠을까요? 세희의 마음을 잘 나타낸 낱말에 동그라미 쳐 보세요.

사실 **2** 할머니는 세 자매에게 동전을 각각 얼마씩 주었나요? 동전 스티커를 붙여 보세요.

논리 **3** 세희는 무엇이 이상하다고 생각하나요? 세희의 속마음에 들어갈 알맞은 낱말을 써 보세요.

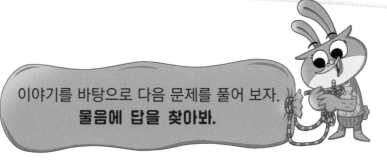

이상해! 동전 한 닢을 찾고
동전 세 닢을 쓰면
동전 두 닢을 ________ 보는 거잖아.

들어보기

저는 할머니의 ④**두둑한** 돈주머니를 보며 물었어요.

"할머니, 겨우 동전 한 닢을 그렇게 열심히 찾으신 거예요?"

두리 언니도 갸우뚱하며 말했어요.

"비록 동전 한 닢은 찾았지만 오히려 손해를 보신 것 같아요."

하니 언니도 맞장구치며 말했어요.

"우리에게 한 닢씩 나눠 주셨으니, 두 닢을 손해 보신 거예요."

이야기를 바탕으로 다음 문제를 풀어 보자.
물음에 답을 찾아봐.

추론 **1** 세희는 할머니의 두둑한 돈주머니를 보며 무슨 생각을 했을까요? 세희의 생각을 짐작해서 동그라미 쳐 보세요.

- 할머니는 지독한 **구두쇠** 같아. ( )
- 할머니는 돈 많은 **부자** 같아. ( )
- 할머니는 돈 없는 **가난뱅이** 같아. ( )

창의 **2** 돈을 잃어버린 적이 있나요? 돈을 잃어버리면 어떤 기분이 드는지 이야기해 보세요.

준비물 살 돈을 잃어버린 적이 있어.
그때 기분이 어땠어?

비판 **3** 할머니가 세 자매에게 동전을 준 것은 잘한 걸까요? 자신의 생각에 동그라미 쳐 보세요.

잘한 거야.	잘못한 거야.
도움을 받았으니 보답해야 해.	오히려 손해를 봤어.

들어보기

그러자 할머니께서 빙긋 웃으며 말했어요.

"흠, 너희들 말도 맞아. 동전 한 닢은 작은 돈이지. 하지만 돈이 냇물에 빠졌는데 건져 내지 않으면 그 돈은 쓸 수 없으니 죽은 돈이 된단다."

곰곰이 듣던 하니 언니가 무릎을 탁 치며 말했어요.

"아하, 그럼 돈을 건지면 산 돈이 되겠네요. 그 돈을 여러 가지로 쓸 수 있으니까요. 죽은 돈이 산 돈이 될 수 있다니 5 **대단해요.**"

죽은 돈은 뭐고 산 돈은 뭔지 저는 아직도 잘 모르겠어요. 6 **내키지** 않았지만 어쨌든 할머니께 받은 돈으로 아이스크림을 사 먹었지만요.

따져보기3

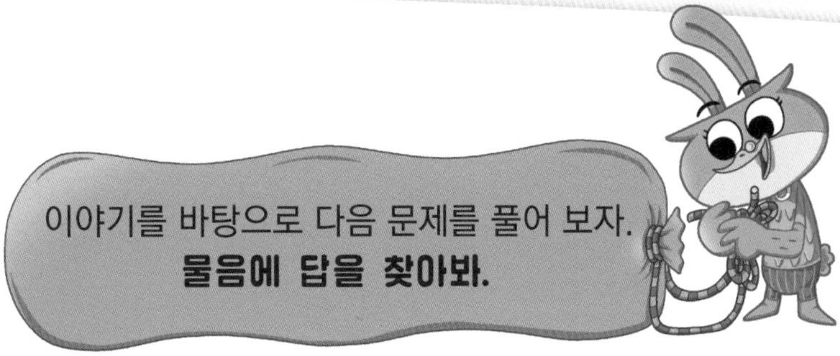

사실 **1** 할머니가 말하는 죽은 돈은 무엇이고, 산 돈은 무엇일까요? 어울리는 것끼리 선을 그어 보세요.

산 돈 • • 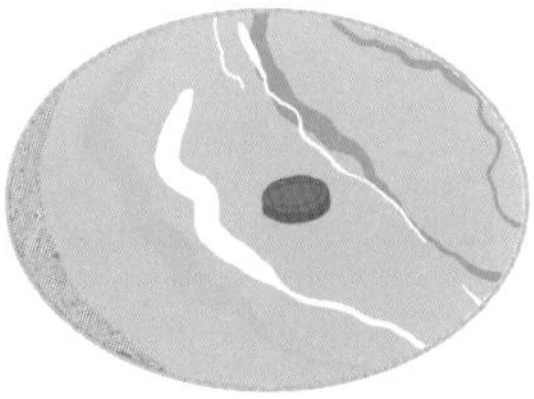

죽은 돈 • • 

논리 **2** 냇물에 빠진 동전 한 닢을 건져 내야 할까요? 자신의 생각을 이야기해 보세요.

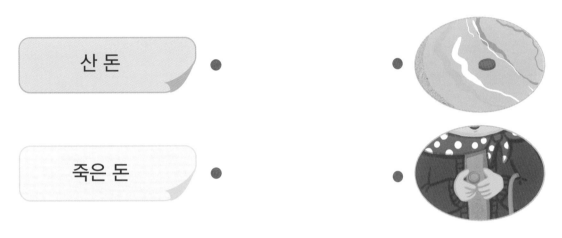

건져 내야 해. 그 돈으로 많은 걸 할 수 있으니까.

건져 내지 말아야 해. 적은 돈을 건져 내느라 힘만 들 거야.

추론 **3** 세희가 사 먹은 아이스크림은 어떤 돈으로 산 것일까요? 알맞은 것에 동그라미 쳐 보세요.

죽은 돈　　　　산 돈

세 자매 이야기

하니와 두리, 세희 이야기를 일이 **일어난 순서대로 번호를 써 봐.**

( ) → ( ) → ( ) → ( )

죽은 돈 산 돈

다음 상황에서 동전은 '죽은 돈'일까, '산 돈'일까? **네 생각에 동그라미 쳐 봐.**

할머니 주머니 속에 있을 때는

죽은 돈 산 돈

냇물 속에 빠졌을 때는

죽은 돈 산 돈

아이들에게 주었을 때는

죽은 돈 산 돈

아이스크림을 사 먹을 때는

죽은 돈 산 돈

손해일까?

다음 상황에서 할머니가 손해를 본 건지, 손해를 본 게 아닌지
○나 ×에 동그라미 쳐 봐.

손해다		손해가 아니다
○	 할머니가 동전을 냇물에 빠뜨렸어요.	×
○	 세 자매의 도움으로 동전을 찾았어요.	×
○	 보답으로 동전 세 닢을 세 자매에게 주었어요.	×
○	 세 자매가 동전을 썼어요.	×

짚어보기3

동전 나누기

만약 동전을 찾아 준 보답으로 동전 한 닢만 받는다면, 세 자매는 동전을 어떻게 나눌까? **좋은 방법을 생각해서 그림을 그리고 말해 봐.**

할머니,
보답으로 동전 한 닢만
받겠어요.
그래? 그럼 셋이서
동전 한 닢을 어떻게
나눌 거니?

동전 한 닢을 세 조각으로
쪼개서 나눠 가질 수도
없는데….

짚어보기4

쓸까 말까

하니와 세희가 동전을 어디에 썼는지 어울리는 말풍선 스티커를 붙여 봐. **또 두리의 고민에 ○나 ×에 동그라미 쳐서 답해 봐.**

스티커
스티커
돈을 쓸까, 말까 고민이야. 어떡하면 좋지?
쓴다
안 쓴다
○
×

가라사대왕의 궁금증

가라사대왕이 궁금한 게 있대. 가라사대왕의 물음에 뭐라고 답하면 좋을까? **네 생각을 쓰거나 말해 봐.**

할머니는 손해를 본 걸까, 손해를 본 게 아닐까?

할머니는 손해를 (봤어요, 보지 않았어요). 왜냐하면

네가 세희라면 할머니가 주신 돈을 어떻게 할 거니?

내가 세희라면

낱말 뒤풀이

세 자매가 낱말 퀴즈 뒤풀이를 열었어. 낱말 퀴즈를 풀어서 생각하는 힘을 다져 보자고. **낱말 카드를 보면서 문제를 풀어 봐.**

1 할머니의 말에서 잘못 쓴 글자를 찾아서 그 위에 올바른 글자 스티커를 덧붙여 보세요.

괜찮아, 할미는 주머니가 도둑하단다!

어쩜, 동전을 찾다니 너희들 계단하다!

할미를 도와주면 반드시 답답할게!

2 다음 문장에서 틀린 낱말을 바르게 고치려고 해요. 알맞은 낱말을 찾아 선을 그어 보세요.

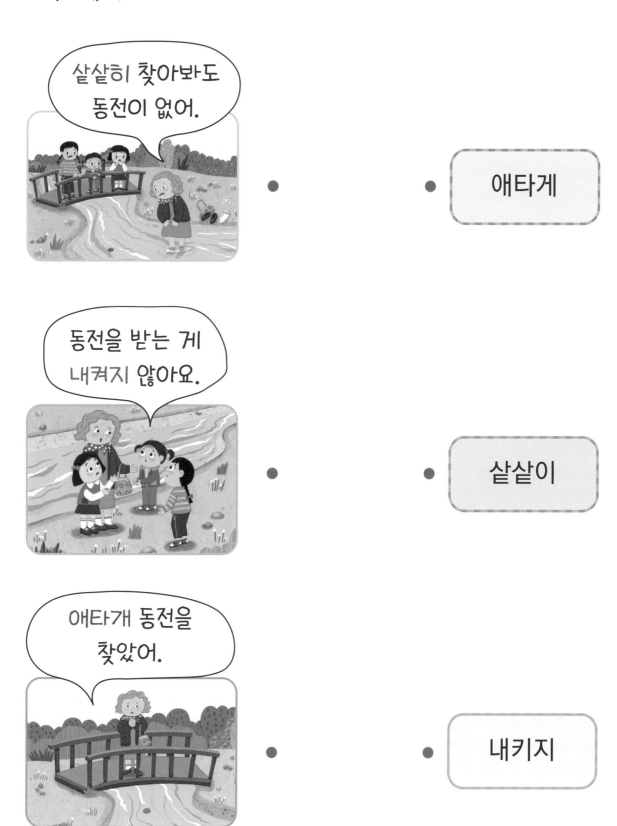

- 애타게
- 샅샅이
- 내키지

3장

뱃멀미와 바다

관련교과

- [국어 1학년 2학기] 소리와 모양을 흉내 내요
- [국어 2학년 1학기] 상상의 날개를 펴요
- [국어 2학년 1학기] 자신 있게 말해요

주인이 뱃멀미를 하면서 우는 하인을 시끄럽다며 바다에 던져 버렸대. 다행히 구해 주긴 했지만 하인한테 너무한 게 아닐까? **이야기를 읽어 봐.**

너무해

엄마와 아이가 다투고 있어. 둘 중에서 누가 잘못한 걸까?
잘못한 사람에게 동그라미 치고 그 까닭을 말해 봐.

엄마가 잘못했어!

아이가 잘못했어!

뱃멀미와 바다 그림

훑어보기

이야기에 나오는 그림을 미리 보여 줄게.

어떤 이야기가 펼쳐질지 그림을 보면서 상상해 봐.

그림을 보면서 무슨 일이 벌어졌는지 짐작해 보자.

짐작한 내용을 상상해서 이야기해 보자.

짐작되지 않거나
궁금한 그림에는 동그라미!

들어보기

뱃멀미와 바다

이야기를 읽으면서, 중요한 낱말은 낱말 카드로 익혀 보자.

번호가 쓰인 낱말의 뜻을 낱말 카드에서 찾아봐. 낱말 카드 5쪽

저는 주인님을 모시는 하인이에요. 오늘은 여행을 다니는 주인님을 따라 배를 타게 되었어요. 날씨도 좋고 바람도 알맞게 불어서 우리가 탄 배는 파도를 헤치며 신나게 달렸어요.

하지만 저는 머리가 1 **어질어질**, 속은 2 **울렁울렁**, 꼭 죽을 것만 같았어요. 태어나서 배를 처음 타 봤거든요. 게다가 너무 무서웠어요. 파도가 칠 때마다 배가 삐걱거리는데 꼭 금방이라도 부서질 것만 같았거든요. 그래서 끙끙 앓다가 그만 나도 모르게 울음을 터뜨리고 말았어요!

"엉엉!"

그런데 주인님은 제 울음소리가 듣기 싫었나 봐요.

“기분 나쁘게 우는 사람이 누구냐? 이리 끌고 오너라.”

선원들이 저를 끌고 가서 주인님 앞에 꿇어앉혔어요. 주인님은 저를 보더니 타일렀어요.

“이런, 뱃멀미를 하는구나. 배를 처음 타 보니? 곧 나아질 테니 시끄럽게 울지 말고 좀 참아라.”

저는 울먹이며 배가 부서질까 봐 무서워서 견딜 수가 없다고 말했어요. 그러자 주인님은 웃으며 말했어요.

“하하, 이 배는 매우 튼튼해서 거센 파도에도 끄떡없으니 그런 걱정은 하지 마라. 곧 배에 익숙해지면 여행도 즐거워질 거야.”

들어보기

주인님의 말에도 마음이 편해지지 않고 계속 울음만 나왔어요. 제가 계속 울자 주인님은 선원들에게 명령했어요.

“저놈을 창고에 가두고 무슨 방법을 쓰든지 울음소리가 들리지 않게 해라.”

저는 창고에 갇히자 뱃멀미가 더 심해졌어요. 그래서 [3]**밤새** 끙끙 앓으며 울어 댔지요. 다음 날, 화가 난 주인님이 저를 다시 불렀어요.

“계속 울고불고하면 [4]**매질**을 하겠다.”

저는 주인님 말에 겁이 나서 그만 더 큰 소리로 울고 말았어요.

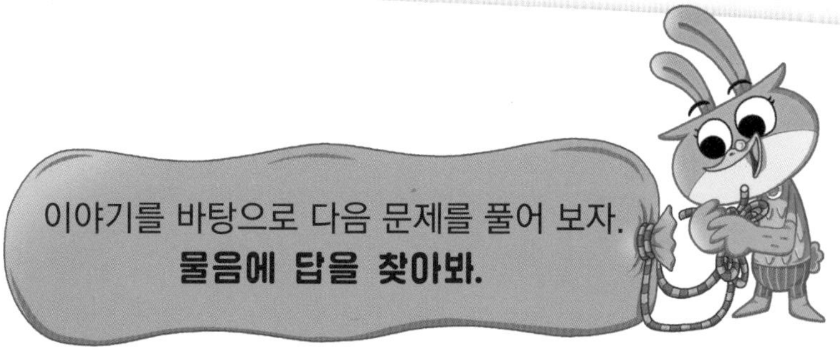
이야기를 바탕으로 다음 문제를 풀어 보자.
물음에 답을 찾아봐.

사실 **1** 하인은 왜 우는 걸까요? 알맞은 이유를 모두 찾아 동그라미 쳐 보세요.

배가 무서워서 울었어요.

배가 고파서 울었어요.

뱃멀미를 해서 울었어요.

창의 **2** 하인처럼 무엇을 처음 하면서 무서웠던 적이 있나요? 경험을 이야기 해 보세요.

두발자전거를 처음 탈 때 무서웠어.
처음으로 혼자 잘 때 무서웠어.

창의 **3** 하인의 울음소리 때문에 화가 난 주인님의 표정은 어땠을까요? 그려 보세요.

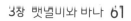

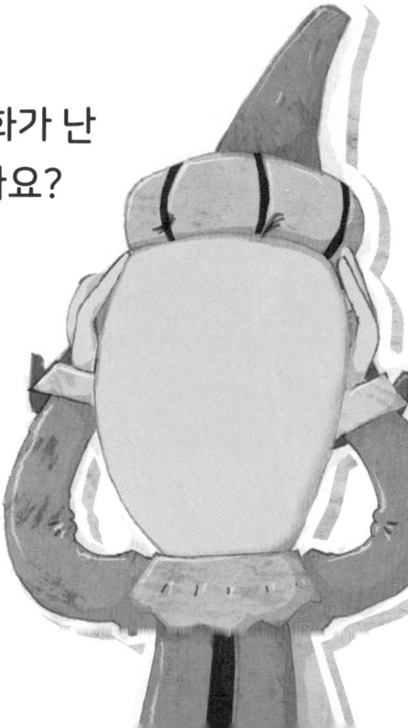

들어보기

주인님은 화가 날 대로 났지요. 바로 그때였어요.

"주인님, 허락하신다면 제가 이 녀석을 조용히 있도록 만들겠습니다."

배를 책임지는 선장이 나서며 말했어요.

"마침 잘되었구나. 어떻게 좀 해 보아라."

주인님은 선장을 반기며 말했어요. 선장은 선원들에게 큰 소리로 명령을 내렸어요.

"저 녀석을 번쩍 들어 배 밖으로 내던져라!"

헉! 설마설마했는데 선원들이 정말로 저를 바다에 던지는 게 아니겠어요.

5 **어푸어푸**, 숨을 쉴 수가 없었어요.

이야기를 바탕으로 다음 문제를 풀어 보자.
물음에 답을 찾아봐.

비판 **1** 계속 우는 하인을 매질해도 될까요? 자신의 생각에 동그라미 쳐 보세요.

해도 된다 | 하면 안 된다

논리 **2** 선장은 왜 하인이 울음을 그치게 만들겠다며 나섰을까요? 알맞은 이유를 말한 친구에게 엄지척 스티커를 붙여 주세요.

울음소리가 시끄러워서!
스티커
배를 책임지는 사람이니까!
스티커
하인을 배 밖으로 던지고 싶어서!
스티커

추론 **3** 선장이 바다에 내던지라고 명령했을 때 하인은 무슨 생각을 했을까요? 다음에서 골라 동그라미 쳐 보세요.

숨이 꼴깍 넘어가려는 순간 선원들이 저를 끌어 올려 주었어요. 또 울었다가는 큰일 날 것 같아서 [6]**허겁지겁** 창고 구석으로 기어 들어갔어요.

그런데 이상하게 멀미도 그치고 울음도 나오지 않았어요. 주인님이 어떻게 한 거냐고 묻자 선장이 대답했어요.

“사람은 어렵고 힘든 일을 겪어 보아야 정신을 차리는 법입니다. 바다에 빠져 보고 나니 배가 얼마나 고마운지 알게 된 것이지요. 그래서 울음을 뚝 그친 것이랍니다.”

쳇! 아무리 그래도 헤엄도 못 치는 사람을 바다로 내던진 건 너무하지 않아요?

이야기를 바탕으로 다음 문제를 풀어 보자.
물음에 답을 찾아봐.

추론 **1** 하인은 큰일 날 것 같아서 창고로 들어갔어요. 하인이 생각하는 큰일은 무엇일까요? 자신의 생각을 이야기해 보세요.

하인은 큰일이 날까 봐 무서웠어.
하인이 생각하는 큰일이 뭐냐면…

논리 **2** 바다에 빠졌던 하인은 '배'에 대한 생각이 바뀌었을까요? 하인의 생각을 짐작해서 배 스티커를 붙여 보세요.

고마워!

배에 대한 생각이 **바뀌었다.** 스티커

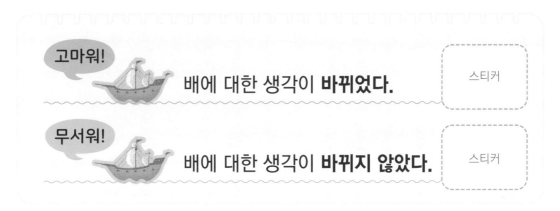

무서워!

배에 대한 생각이 **바뀌지 않았다.** 스티커

비판 **3** 바다에 내던지는 것은 뱃멀미를 멈추는 좋은 방법일까요? 자신의 생각에 동그라미 치고 이유를 말해 보세요.

좋은 방법이다.

좋은 방법이 아니다.

배 여행

배를 처음 탄 하인이 겪은 일을 떠올려 봐. 하인은 기분이 어땠을까?
각 상황에서 **하인의 감정과 어울리는 표정을 그려 봐.**

처음 탄 배

하인을 보면서 주인님과 선장도 배를 처음 탔을 때가 생각났대. 이들은 배를 처음 탔을 때 어땠을까? **그림으로 그려 봐.**

마법으로

배에 타고 있던 마법사가 주인님과 하인을 위해서 마법으로 물건을 만들었대. 어떤 물건이 이들에게 도움이 될까? **동그라미 쳐 봐.**

제일 힘든 일

하인은 배를 타고 여행하면서 언제 가장 힘들었을까? **하인의 얼굴에 힘든 만큼 빨간색을 칠해 봐.**

짚어보기4

선장이 너무해

바다에 던져진 하인을 보고 주인님과 선원들은 선장이 너무하다고 생각했을까? **이들의 생각을 짐작해서 동그라미 쳐 봐.**

가라사대왕의 궁금증

가라사대왕이 궁금한 게 있대. 가라사대왕의 물음에 뭐라고 답하면 좋을까? **네 생각을 쓰거나 말해 봐.**

선장이 하인을 바다에 던진 건 너무한 걸까?

선장이 (너무해요, 너무하지 않아요). 왜냐하면

네가 선장이라면 하인의 울음을 어떻게 그치게 할 거니?

내가 선장이라면

낱말 뒤풀이

하인이 낱말 퀴즈 뒤풀이를 열었어. 낱말 퀴즈를 풀어서 생각하는 힘을 다져 보자고. **낱말 카드를 보면서 문제를 풀어 봐.**

1 다음 밑줄 친 낱말이 같은 의미로 쓰인 문장을 찾아 동그라미 쳐 보세요.

뱃멀미가 심해서 <u>밤새</u> 울었어요.

올빼미는 낮에 잠을 자고 밤에 먹이를 잡는 **밤새**야.	**밤새** 게임을 하면 안 돼.

2 하인이 탔던 배의 표에서 글자가 지워졌어요. 알맞은 낱말을 써 보세요.

날짜	20XX년 XX월 XX일
출발 시각	09시 30분
목적지	행복 도시

주의 사항

1. 배 안에서는 안전을 위해서 규칙을 꼭 지켜 주세요.
2. 배를 책임지는 선장의 지시를 따라 주세요.
3. 뱃멀미를 하면 속이 [울][렁][울][렁], 머리가 [어][질][어][질] 할 수 있으니 멀미약을 드세요.

3 하인이 창고 벽에 낙서를 남겼는데 틀린 글자가 있어요. 틀린 글자를 바르게 고쳐 써 보세요.

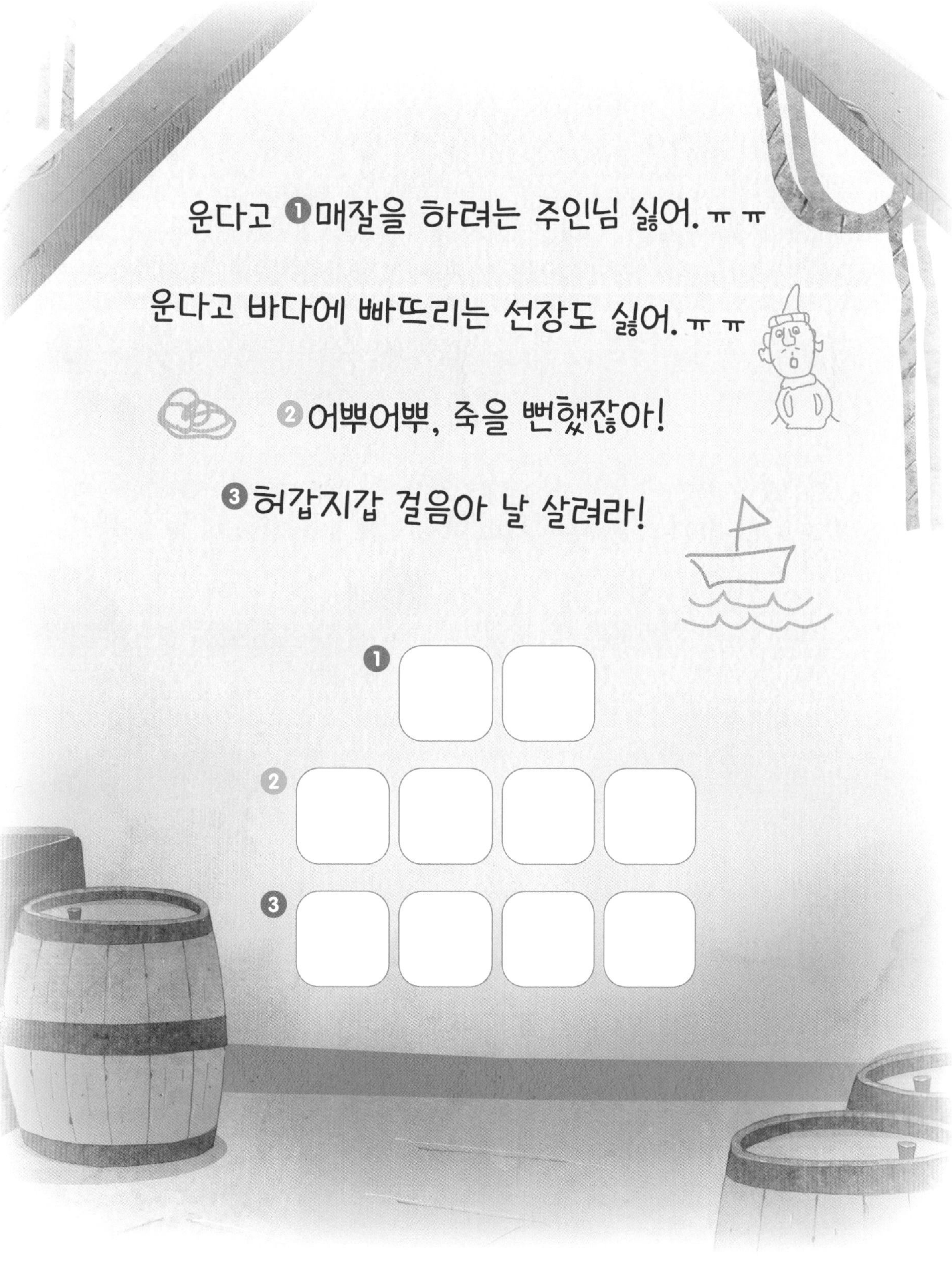
운다고 ❶매잘을 하려는 주인님 싫어. ㅠㅠ
운다고 바다에 빠뜨리는 선장도 싫어. ㅠㅠ
❷어뿌어뿌, 죽을 뻔했잖아!
❸허갑지갑 걸음아 날 살려라!
❶
❷
❸

4장

올빼미와 독수리

관련교과

- **[국어 1학년 1학기]** 글자를 만들어요
- **[국어 1학년 2학기]** 인물의 말과 행동을 상상해요
- **[국어 2학년 1학기]** 낱말을 바르고 정확하게 써요

독수리와 올빼미가 서로 상대방이 잘못했다며 다투고 있어. 무슨 일이 있었던 걸까?
이야기를 읽어 봐.

준비하기

코끼리 만지기

시각 장애인들이 코끼리에 대해 이야기하는데, 설명이 다 달랐어. **누구의 말이 맞는지 동그라미 쳐 봐.**

코끼리가 어떻게 생겼는지 말해 보아라!

코끼리는 뱀처럼 생겼어!
무슨 소리, 큰 부채 같은걸!
아니야, 커다란 바위 같은데!
굵은 기둥 같았어!
틀렸어, 큰 무처럼 생겼다고!
흥, 코끼리는 밧줄 같다고!

훑어보기

올빼미와 독수리 그림

이야기에 나오는 그림을 미리 보여 줄게.

어떤 이야기가 펼쳐질지 그림을 보면서 상상해 봐.

그림을 보면서 무슨 일이 벌어졌는지 짐작해 보자.

짐작한 내용을 상상해서 이야기해 보자.

짐작되지 않거나
궁금한 그림에는 동그라미!

들어보기

올빼미와 독수리

이야기를 읽으면서, 중요한 낱말은 낱말 카드로 익혀 보자.

번호가 쓰인 낱말의 뜻을 낱말 카드에서 찾아봐. 낱말 카드 7쪽

저는 부엉이예요. 제 친척인 올빼미는 독수리와 사이가 좋지 않아요. 독수리는 낮에 돌아다니고 올빼미는 밤에 돌아다녀서 둘은 말이 통하지 않았거든요.

한번은 독수리가 아는 체하며 말했어요.

“야, 너 그거 모르지? 매일 하늘에 밝고 둥근 것이 떠오르는데, 이게 떠오르면 날씨가 따뜻해져. 그게 ①열을 마구 뿌리거든!”

이 말을 들은 올빼미는 독수리의 말을 무시하며 말했어요.

“흥, 말도 안 돼! 그 밝고 둥근 것이 떠오르면 춥기만 하던데?”

그러자 독수리는 화를 내며 소리쳤어요.

"뭐, 춥다고? 내가 얼마나 오랫동안 그 밝고 둥근 것과 함께 하루를 시작해 왔는지 알아? 그게 떠오르면 따뜻해진다고!"

올빼미도 지지 않고 눈을 [2] **부릅뜨면서** 대꾸했어요.

"나야말로 아주 오랫동안 그 밝고 둥근 게 떠오르면 하루를 시작해 왔어. 하지만 그게 따뜻하다고 느낀 적은 한 번도 없어. 춥기만 했다고!"

네, 맞아요. 독수리는 해를 이야기하고, 올빼미는 달을 이야기하고 있었어요. 하지만 둘은 서로 다른 것을 이야기하는 줄은 꿈에도 생각하지 못했어요.

들어보기

둘은 이렇게 말이 통하지 않는 사이였어요. 그런데요, 3 **웬일**로 올빼미와 독수리가 사이좋게 지내기로 약속을 하지 뭐예요. 둘 다 사나운 새라서 서로의 새끼들을 4 **몰라보고** 잡아먹을까 봐 걱정하고 있었거든요. 둘은 서로의 새끼들을 해치지 않겠다고 약속했어요. 그래서 독수리는 올빼미에게 새끼들이 어떻게 생겼는지 물어보았어요.

"우리 새끼들이 얼마나 예쁜지 아니? 깃털이 꼭 공작새 깃털같이 화려하고 예뻐서 반짝반짝 빛이 난단다."

올빼미는 온갖 좋은 말을 늘어놓으며 새끼를 자랑했어요.

이야기를 바탕으로 다음 문제를 풀어 보자.
물음에 답을 찾아봐.

사실 **1** 독수리와 올빼미의 특징을 찾아 알맞게 선을 연결해 보세요.

독수리는 ● ● 밤에 돌아다녀요.

올빼미는 ● ● 낮에 돌아다녀요.

논리 **2** 독수리와 올빼미는 마음속으로 서로를 어떻게 생각하고 있을까요? 각각 속마음을 짐작해서 번호를 써 보세요.

독수리는 ☐ 같아.

올빼미는 ☐ 같아.

1 바보 2 천재 3 심술쟁이 4 꾀쟁이 5 고집쟁이

창의 **3** 올빼미와 독수리처럼 친구와 사이좋게 지내기로 약속해 본 적이 있나요? 경험을 이야기해 보세요.

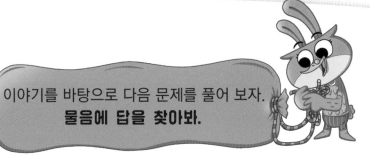

이제부터 사이좋게 지내자.
꼭꼭 약속해.

들어보기

그런데 다음 날, 일이 벌어졌어요. 해가 ⑤막 지고 달이 막 뜰 무렵이었지요. 집으로 돌아가던 독수리가 바위틈에서 못생긴 새끼 새들을 봤어요. 독수리가 보기에 깃털도 뻣뻣하고 색깔도 예쁘지 않았지요.

"무슨 새인지 모르겠네. 하지만 올빼미 새끼가 아닌 것만은 틀림없어."

독수리는 얼른 새끼 새들을 채어 갔어요.

이야기를 바탕으로 다음 문제를 풀어 보자.
물음에 답을 찾아봐.

추론 **1** 올빼미와 독수리가 똑같이 걱정하는 것은 무엇일까요? 다음에서 찾아 동그라미 쳐 보세요.

자기의 새끼가 못생겼다는 말을 들을까 봐 걱정해.
자기의 새끼가 잡아먹힐까 봐 걱정해.

사실 **2** 올빼미가 설명한 새끼 올빼미의 모습과 독수리가 본 새끼 올빼미의 모습으로 알맞은 것을 찾아 선을 연결해 보세요.

올빼미가 설명한 새끼 올빼미 ●　　　　● 

독수리가 본 새끼 올빼미 ●　　　　● 

논리 **3** 독수리는 왜 바위틈에서 본 새끼 새들이 새끼 올빼미가 아니라고 생각할까요? 알맞은 이유에 동그라미 쳐 보세요.

무슨 새인지 몰라서.
올빼미가 설명한 모습과 달라서.

들어보기

먹이를 구하러 갔다가 돌아온 올빼미는 놀라 ⑥**쓰러질** 뻔했어요. 둥지에 새끼들은 하나도 보이지 않고, 독수리 깃털만 떨어져 있었으니까요.

올빼미는 펄펄 화를 내며 독수리를 불러와 따졌어요.

"이 나쁜 독수리야, 약속을 왜 지키지 않은 거야?"

독수리는 자기 잘못이 아니라고 했어요.

"나는 정말 네 새끼인 줄 몰랐어. 네가 새끼들의 모습을 제대로 말해주지 않았잖아!"

둘은 서로가 잘못했다고 싸우는데,

도대체 누가 잘못한 걸까요?

따져보기3

이야기를 바탕으로 다음 문제를 풀어 보자.
물음에 답을 찾아봐.

추론 **1** 다음 속담의 뜻을 알아보고, 올빼미가 자기 새끼들이 예쁘다고 한 이유를 말해 보세요.

속담 고슴도치도 제 새끼가 제일 곱다고 한다.

부모 눈에는 제 자식이
다 잘나고 귀여워 보인다더니….
아이고, 털도 어쩜
이렇게 예쁘니.
내가 제일
예쁘죠?

비판 **2** 올빼미와 독수리 중에서 누가 잘못했다고 생각하나요? 동그라미 쳐 보세요.

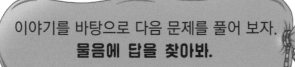

독수리
올빼미
둘 다

간추리기

무슨 일이

올빼미와 독수리에게 무슨 일이 있었는지 그림으로 살펴보자.
사다리를 타고 내려가서 **이야기에 어울리는 그림을 찾아 봐.**

올빼미와 독수리가 해와 달을 놓고 싸웠어.	올빼미가 새끼가 예쁘다며 자랑했어.	독수리가 새끼 새를 보고 채어 갔어.	올빼미가 약속을 지키지 않았다며 독수리에게 따졌어.

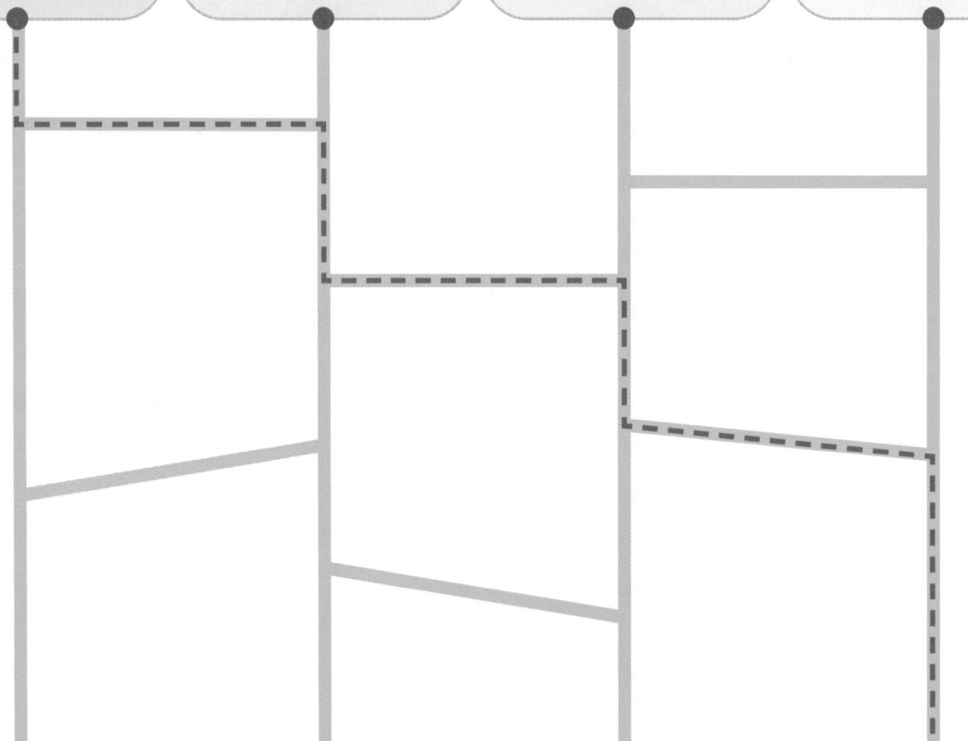

짚어보기1

해와 달

올빼미와 독수리가 해와 달을 그림으로 본다면 무슨 생각을 할까?
이들의 속마음을 짐작해서 색칠해 봐.

얘들아, 내가 해와 달을 그렸어. 이것 좀 보렴.
해
달

다 아는 척하면 안 되겠구나.

무조건 내 말이 옳다고 우겨야겠구나.

내 말만 맞다고 우기면 안 되겠구나.

다른 사람의 말은 들을 필요가 없겠구나.

상대방의 말을 무시하면 안 되겠구나.

저게 해라고?
저게 달이라고?

별명 짓기

부엉이와 올빼미, 독수리는 자기 새끼들을 뭐라고 부를까?
새끼들을 찾아 선으로 연결하고 별명을 지어 봐.

새끼 독수리

새끼 부엉이

새끼 올빼미

짚어보기3

새끼 독수리

독수리가 새끼들 모습을 그림으로 그려서 올빼미에게 보여 주었대.
어떻게 그렸을까? **짐작해서 그려 봐.**

네 새끼들은
어떻게 생겼니?

우리 애들은
요렇게 생겼어!

짚어보기4

누구 잘못

다른 새들은 올빼미와 독수리 중에서 누가 잘못했다고 생각할까?
짐작해서 스티커를 붙여 봐.

네가 우리 예쁜 새끼들을 잡아먹었잖아!
네가 새끼들 모습을 잘못 설명했잖아!

내 생각에는…

독수리가 잘못했어. / 올빼미가 잘못했어.

스티커 / 스티커

내 생각에는…

독수리가 잘못했어. / 올빼미가 잘못했어.

스티커 / 스티커

내 생각에는…

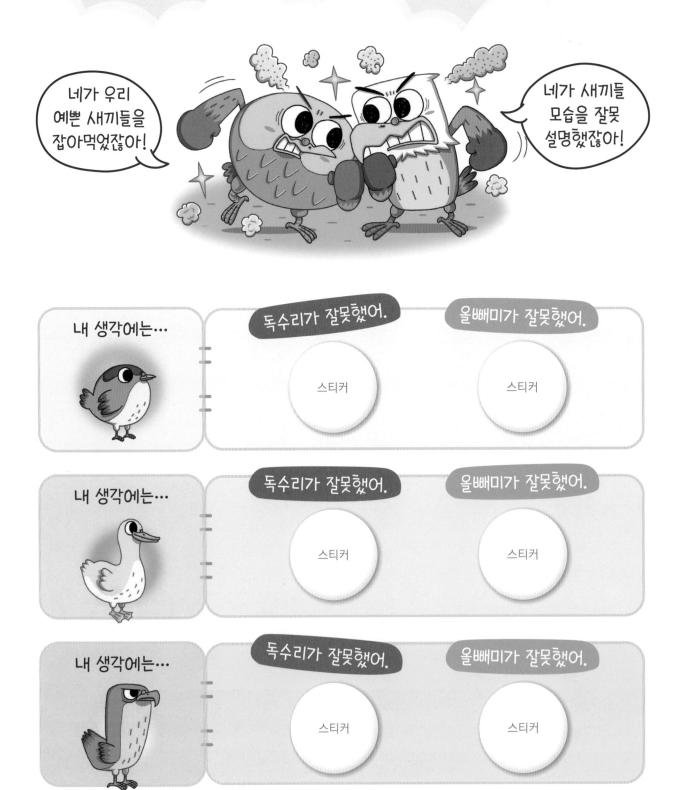

독수리가 잘못했어. / 올빼미가 잘못했어.

스티커 / 스티커

가라사대왕의 궁금증

가라사대왕이 궁금한 게 있대. 가라사대왕의 물음에 뭐라고 답하면 좋을까? **네 생각을 쓰거나 말해 봐.**

네가 올빼미라면 새끼의 생김새를 어떻게 설명할 거니?

내가 올빼미라면

독수리와 올빼미 중에서 누가 잘못했다고 생각하니?

나는 (올빼미, 독수리)가 잘못했다고 생각해요. 왜냐하면

낱말 뒤풀이

올빼미와 독수리가 낱말 퀴즈 뒤풀이를 열었어. 낱말 퀴즈를 풀어서 생각하는 힘을 다져 보자고. **낱말 카드를 보면서 문제를 풀어 봐.**

1 다음 중에서 맞는 낱말을 찾아 동그라미 쳐 보세요.

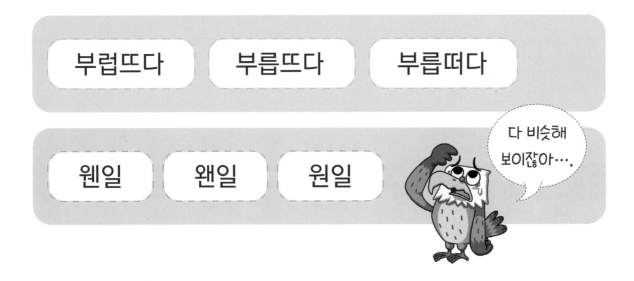

부럽뜨다　　부릅뜨다　　부릅떠다

웬일　　왠일　　원일

2 다음 엉터리 낱말을 뜻과 어울리게 바르게 써 보세요.

바로 지금이라는 뜻

감

령

뜨거운 기운이라는 뜻

3 독수리와 올빼미가 너무 걱정되고 놀란 나머지 말을 잘못했어요. 이들이 잘못 말한 부분을 바르게 고쳐 보세요.

새끼 올빼미를 **올라보면** 어떡하지?

본 적이 없어서 잘 모르겠어.

➡ □□□□

빈 둥지를 보자마자 **스러지고** 말았어.

못된 독수리! 약속을 지키지 않았어.

➡ □□□□

어서 와, 토마토 좀 먹고 쉬어 가.
이야기나라 여행해 보니까 어때?
재밌었어~
다들 어려울 줄 알았는데, 신나고 재미있었다고 해.
그게 다 나 뿌토 덕분이지, 헤헤!
사실 뿌토의 원래 이름은 '부토'였어! 부엉이에서 '부', 토끼에서 '토'를 한 글자씩 따왔지.
난 토끼처럼 귀가 크고 부엉이처럼 눈도 크거든.
오~
그래서 뿌토는 듣고 본 게 많단다.

그런데 왜 '부토'가 아니고 '뿌토'로 부르냐고?
허허, 짓궂은 녀석들이 놀리느라 뿌토라고 불렀지 뭐냐.
크크크
결국 뿌토가 되었지. 그런데 뿌토라는 이름이 싫지는 않아.
나는 생각이 잘 안 나서 마음이 뿌글뿌글할 때는 제일 좋아하는 토마토를 먹걸랑. 그럼 좋은 생각이 마구 떠올라.
토마토
토마토
뿌글뿌글, 토마토! 이렇게 해도 뿌토가 되는구나.
너희들과 더 좋은 친구가 된다면 그만이지 뭐. 잘해 보자고!

MEMO

진짜진짜

독서논술

P1권

가이드북

가이드북 활용법

진짜진짜 독서논술의 모든 활동은 논리적인 사고력을 바탕으로 창의적 문제해결력을 기르는 데 목적이 있습니다. 그렇기에 답이 하나로 정해진 경우보다 다양하게 해석 가능한 경우가 많습니다. 중요한 것은 자신의 생각에 논리적 설득력을 갖추는 것입니다. 모두 답이 될 수 있다는 열린 마음으로 활동을 바라봐 주시고, 아이들의 생각을 들어주세요.

정확하게 답으로 나와야 하는 질문에는 답으로 표시했고, 다양한 반응이 나올 수 있는 질문에는 예로 표시했습니다. 답이 다양하게 나올 수 있는 질문들은 예로 제시한 내용을 바탕으로 아이들의 생각이 체계적으로 흘러가는지 주의 깊게 바라봐 주시면 됩니다.

답이나 예외에 + 표시로 들어간 내용들은 더 생각해 봐야 할 이유나 근거를 아이들이 어떻게 제시할 수 있는지 예상한 것입니다. 이 내용을 바탕으로 더 깊이 있는 생각을 이끌어 낼 수 있도록 지도해 보세요.

문제와 활동 옆에는 해설 을 달아서 출제 의도와 문제 유형을 해석해 놓았고, 더불어 지도 방법을 적어 놓았습니다. 가정에서 아이들을 지도하는 데 참고해 주세요.

진짜진짜 독서논술로 '토닥토닥 마음껏 토론'하며 성장해 나갈 아이들의 모습을 기대해 봅니다.

준비하기 16p

흥, 오늘도 그냥
향기만 맡고 가야지!

예

매일 우리 가게에서
향기를 맡으니까,
이제부터는 향기 값을
내세요!
흥, 향수 가게에서
향기를 맡는 건 당연해요.
향기 값은 낼 수 없어요.

+ 향기는 저절로 나는 것이니까 향기 값은 내지 않아도 돼요.

따져보기1 21p

사실 **1** 똘쇠는 누구인가요? 알맞은 설명에 동그라미 쳐 보세요.

답

똘쇠는 아저씨네 머슴이에요. ○

똘쇠는 아저씨네 친척이에요.

논리 **2** 똘쇠가 부엌에 가서 고기 냄새를 맡은 이유는 무엇일까요? 알맞은 이유를 골라 ☆표 해 보세요.

답

고기 냄새가 나서
신기해서 맡았어.
고기가 먹고 싶어서
냄새를 맡았어.

+ 고기 냄새가 나면 먹고 싶을 것 같아요.

추론 **3** 왜 아저씨는 똘쇠에게 냄새 값을 내놓으라고 했을까요? 다음 문장에 들어갈 낱말을 따라 써서 이유를 완성해 보세요.

답

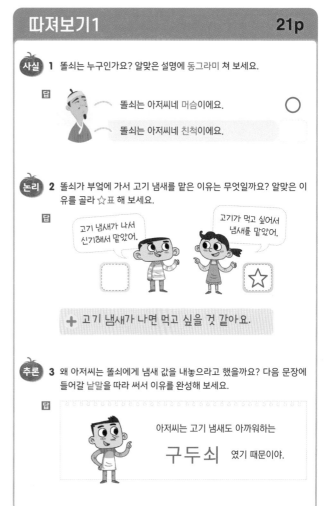

아저씨는 고기 냄새도 아까워하는

구두쇠 였기 때문이야.

해설

16p

향수 냄새를 맡으면 돈을 내야 하는지 물음에 답하면서, 눈에 보이지 않는 것에도 가치를 매길 수 있는지 생각해 보는 활동입니다. 모두 답이 될 수 있으므로 자신의 생각에 적당한 근거를 댈 수 있도록 지도해 주세요.

해설

21p

1. 주인공이 누구인지 묻는 사실적 질문입니다. 이야기에 나온 핵심어를 이해해서 정확하게 답을 찾을 수 있도록 지도해 주세요.
2. 주인공의 행동을 어떻게 이해하는지 따져보는 논리적 질문입니다. 문맥적 의미를 파악해서 주인공 똘쇠가 고기를 먹고 싶어 한다는 내용을 추론해 낼 수 있으면 좋습니다.
3. 주인공의 행동을 통해 특성을 추론하는 활동입니다. 특성을 설명하는 낱말을 직접 써 봄으로써 낱말의 의미를 명확하게 익힐 수 있습니다.

따져보기2 23p

비판 **1** 냄새 값을 내놓으라는 아저씨의 요구가 옳다고 생각하나요? ○나 X에 색칠해 보세요.

예 옳다 ○ 옳지 않다 X

+ 냄새는 저절로 나는 것이니까 돈을 내지 않아도 돼요.

추론 **2** 냄새 값을 내라고 했을 때 똘쇠는 기분이 어땠을까요? 똘쇠의 기분을 표정 스티커를 붙여서 표현해 보세요.

논리 **3** 다음에 이어서 들어갈 똘쇠의 말로 알맞은 것을 찾아 선을 그어 보세요.

답

아휴, 정말 지독하군.
그렇다면 나도…

- 가만있을 수 없지.
- 냄새 값을 내야겠군.

+ 똘쇠는 똑똑해 보여요. 가만있지 않을 거예요.

따져보기3 25p

사실 **1** 똘쇠가 냄새 값으로 치른 것은 무엇일까요? 알맞은 것을 찾아 동그라미 쳐 보세요.

답

짤랑 짤랑

+ 똘쇠는 돈 소리를 들려주는 것으로 값을 치렀어요.

비판 **2** 똘쇠가 냄새 값을 치른 방법이 맞다고 생각하나요? ○나 X에 색칠해 보세요.

예 맞다 ○ 틀리다 X

+ 똘쇠는 고기를 먹지 않았으니 돈을 주지 않아도 돼요.

추론 **3** 아저씨는 왜 얼굴이 빨개졌을까요? 아저씨의 속마음과 어울리는 낱말을 찾아 선을 그어 보세요.

예

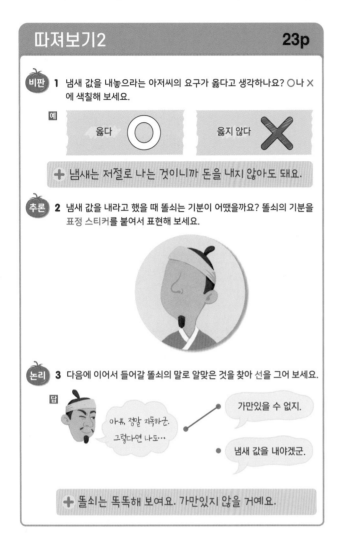

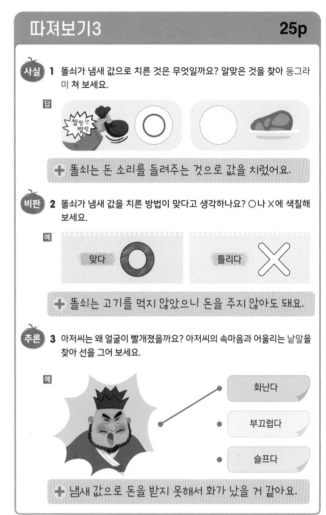

- 화난다
- 부끄럽다
- 슬프다

+ 냄새 값으로 돈을 받지 못해서 화가 났을 거 같아요.

해설

23p

1. 주인공의 행동이 옳은지 그른지 비판적으로 따져보는 활동입니다. 무엇을 선택하든 왜 그렇게 생각하는지 근거를 충분히 설명할 수 있도록 후속 질문을 더 해 주세요.
2. 똘쇠의 기분을 추론해서 적절한 표정으로 표현해 보는 활동입니다. 표정 스티커를 붙인 뒤, 어떤 기분을 표현한 것인지 물어봐 주세요. 왜 그런 기분이 들었다고 생각하는지 후속 질문을 이어가면 좋습니다.
3. 이야기의 흐름을 이해해서 맥락에 숨겨진 똘쇠의 반응을 알맞게 추론해 내는 활동입니다. 똘쇠는 고기를 먹지 않았으니 고기 값을 낼 수 없다고 말할 정도로 똑똑한 인물입니다. 이런 특성을 바탕으로 정확한 답을 찾을 수 있으면 좋습니다.

해설

25p

1. 이야기를 잘 이해하고 있는지 확인하는 사실적 질문입니다. 더불어 쇠붙이가 부딪칠 때 나는 소리, '짤랑짤랑'까지 학습할 수 있습니다.
2. 주인공 똘쇠의 방법이 맞는지 따져보는 비판적 활동입니다. 먼저 똘쇠가 냄새 값을 치러야 하는지 물어봐 주시고, 그다음에 냄새 값을 치른 방법이 맞는지 질문해 주세요. 정해진 답이 없으므로 왜 그렇게 생각하는지 이유를 말할 수 있으면 좋습니다.
3. 구두쇠 아저씨가 원하는 대로 돈을 받지 못한 상황에서 어떤 기분이 들었을지 추론해 보는 활동입니다. 어떤 기분을 선택하든 답이 될 수 있으므로 왜 그렇게 생각하는지 이유를 물어봐 주세요.

간추리기 26p

간추리기
구두쇠 아저씨
친척이 퍼즐을 만들었는데, 아저씨가 자기 이야기를 그렸다고 몇 조각을 가져갔어. 빈 곳에 스티커를 붙여서 그림을 완성해 봐.
답
아저씨! 왜 그림을 가져가세요?
내 이야기를 그렸으니까 그림도 내 거야!
26

짚어보기1 27p

짚어보기1
냄새 값은 얼마?
똘쇠와 아저씨는 각각 냄새 값을 얼마로 생각할까? 이들이 생각하는 냄새 값을 짐작해서 돈 스티커를 붙여 봐.
예 + 똘쇠는 냄새 값을 하나도 내지 않을 거 같아요.
스티커
칫! 그까짓 냄새 값은…?
아까운 내 고기의 냄새 값은…?
+ 아저씨는 욕심이 많으니까 냄새 값을 많이 받을 거 같아요.
27

해설

26p

그림을 통해 이야기를 잘 기억하고 있는지 확인해 보는 활동입니다. 조각을 맞춰 그림을 완성해 보고, 어떤 장면을 그린 것인지 이야기해 볼 수 있도록 지도해 주세요.

27p

냄새를 맡은 값을 지불해야 한다면 얼마를 내야 할지 돈으로 환산해 보는 활동입니다. 답이 정해지지 않았으므로 등장인물의 생각을 짐작해서 돈 스티커를 붙여 보도록 지도해 주세요.

짚어보기2 28p

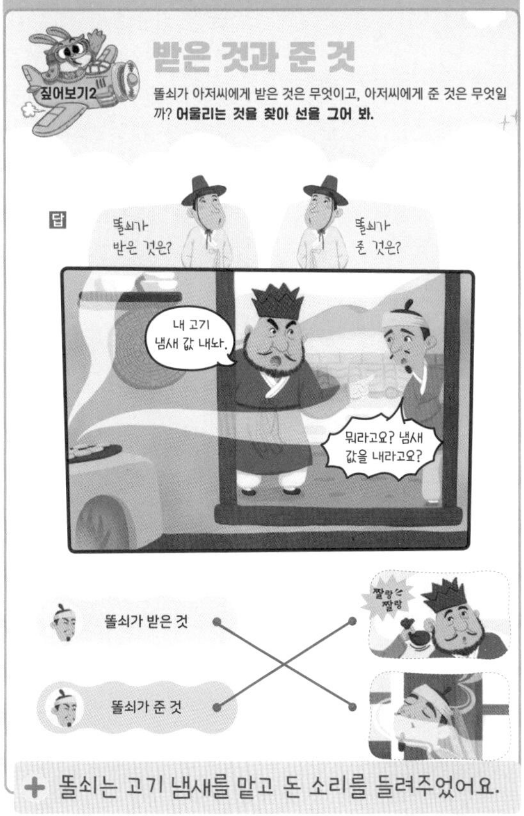

짚어보기3 29p

짚어보기3
냄새는 냄새로
아주머니가 냄새는 냄새로 값을 치러야 한다고 했어. 똘쇠는 어떤 냄새로 어떻게 값을 치르면 좋을까? 그림을 그려 봐.
냄새는 냄새로 값을 치르는 게 맞아!
어떤 음식이 고기만큼 맛있는 냄새가 날까?
그림으로 마음껏 표현해 보세요.
1장 냄새 값 29

28p

냄새 값을 요구하는 아저씨의 주장이 합당한지 따져보기 위해 똘쇠가 무엇을 받고 무엇을 주었는지 생각해 보는 활동입니다. 이야기를 정확하게 이해하고 있는지 살펴봐 주세요.

29p

고기 냄새 맡은 값을 냄새로 치른다면 어떤 냄새가 적당한지 음식을 그려보는 창의적 활동입니다. 다양한 음식 냄새를 머릿속에 떠올리며 마음껏 상상해 볼 수 있도록 지도해 주세요.

짚어보기4 30p

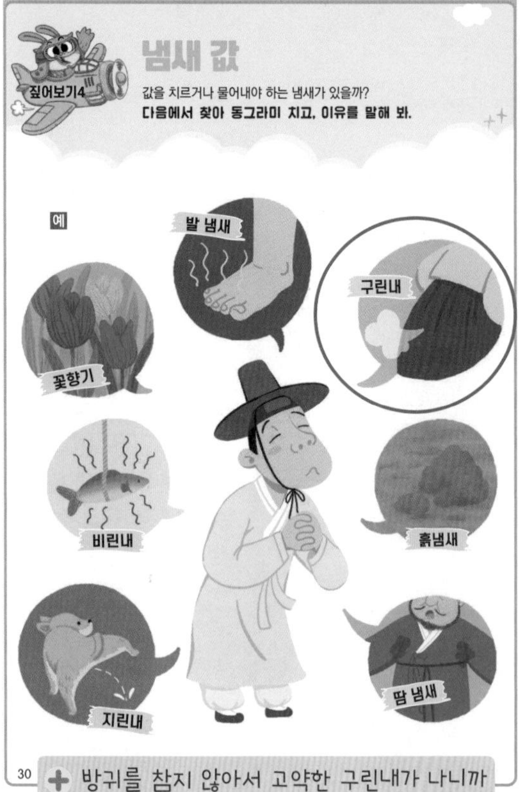
냄새 값

짚어보기4

값을 치르거나 물어내야 하는 냄새가 있을까?
다음에서 찾아 동그라미 치고, 이유를 말해 봐.

예

30

+ 방귀를 참지 않아서 고약한 구린내가 나니까 값을 물어내야 해요.

보고하기 31p

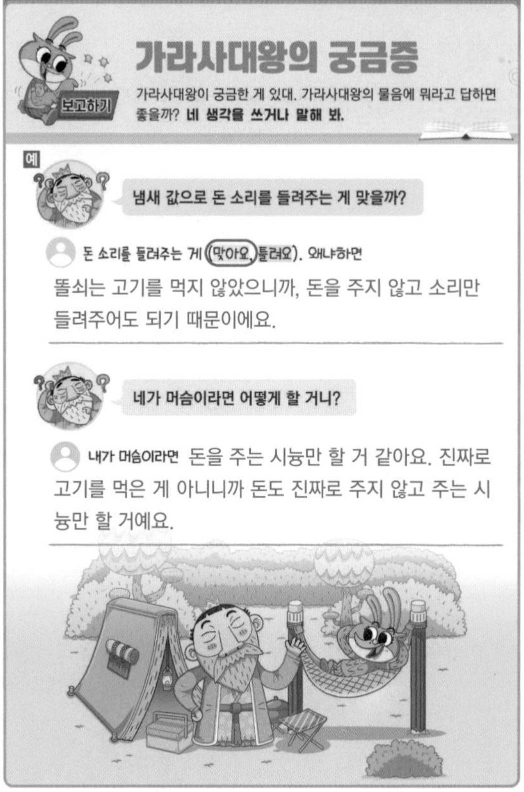
가라사대왕의 궁금증

보고하기

가라사대왕이 궁금한 게 있대. 가라사대왕의 물음에 뭐라고 답하면 좋을까? **네 생각을 쓰거나 말해 봐.**

예

냄새 값으로 돈 소리를 들려주는 게 맞을까?

돈 소리를 들려주는 게 (맞아요, 틀려요). 왜냐하면
똘쇠는 고기를 먹지 않았으니까, 돈을 주지 않고 소리만 들려주어도 되기 때문이에요.

네가 머슴이라면 어떻게 할 거니?

내가 머슴이라면 돈을 주는 시늉만 할 거 같아요. 진짜로 고기를 먹은 게 아니니까 돈도 진짜로 주지 않고 주는 시늉만 할 거예요.

해설

30p

냄새에 값을 매긴다면 어떤 냄새에 값을 매겨야 할지 생각해 보는 활동입니다. 정해진 답이 없으므로 마음껏 생각을 표현하면 좋습니다.

31p

이야기의 주제에 대한 자신의 생각을 정리하는 활동입니다. 아직 문장을 쓰기 어려운 아이들은 말로 표현할 수 있도록 지도해 주세요.

어휘다지기 32p

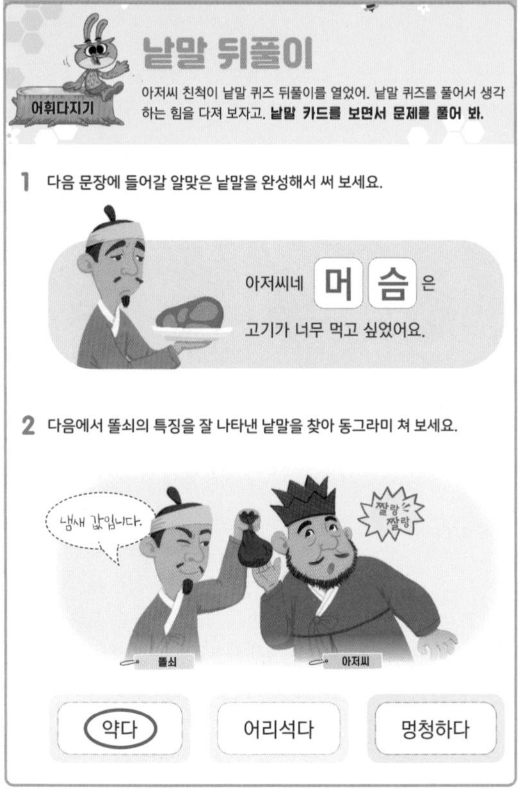
낱말 뒤풀이

어휘다지기

아저씨 친척이 낱말 퀴즈 뒤풀이를 열었어. 낱말 퀴즈를 풀어서 생각하는 힘을 다져 보자고. **낱말 카드를 보면서 문제를 풀어 봐.**

1 다음 문장에 들어갈 알맞은 낱말을 완성해서 써 보세요.

아저씨네 머 슴 은 고기가 너무 먹고 싶었어요.

2 다음에서 똘쇠의 특징을 잘 나타낸 낱말을 찾아 동그라미 쳐 보세요.

(약다) 어리석다 멍청하다

어휘다지기 33p

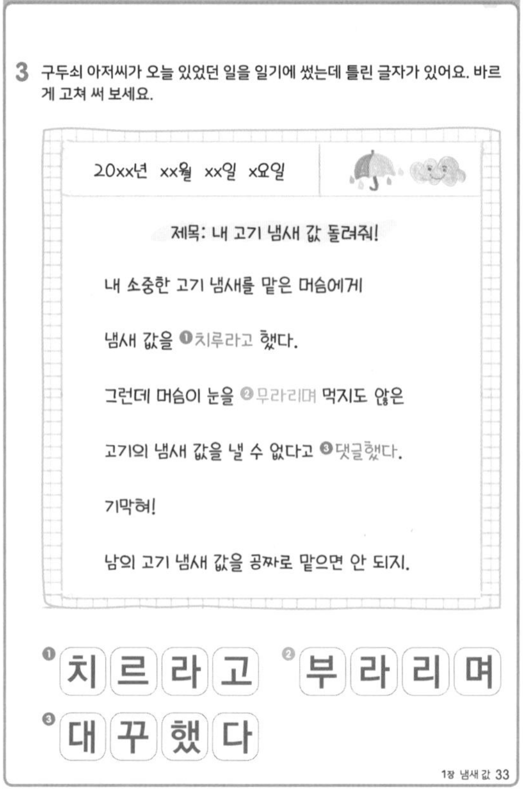
3 구두쇠 아저씨가 오늘 있었던 일을 일기에 썼는데 틀린 글자가 있어요. 바르게 고쳐 써 보세요.

20xx년 xx월 xx일 x요일

제목: 내 고기 냄새 값 돌려줘!

내 소중한 고기 냄새를 맡은 머슴에게
냄새 값을 ❶치루라고 했다.
그런데 머슴이 눈을 ❷무라리며 먹지도 않은
고기의 냄새 값을 낼 수 없다고 ❸댓글했다.
기막혀!
남의 고기 냄새 값을 공짜로 맡으면 안 되지.

❶ 치 르 라 고 ❷ 부 라 리 며
❸ 대 꾸 했 다

1장 냄새 값 33

32~33p

낱말 카드에서 다룬 어휘를 다시 한번 문제로 풀어보면서 어휘력을 기르는 활동입니다. 낱말 카드를 보면서 문제를 풀 수 있도록 지도해 주세요.

낱말 카드

낱말 카드 1 낱말 등급 ★★★★☆

머슴

옛날에 농사일과 자질구레한 일을 해 주고 대가를 받던 남자를 이르는 말입니다.

낱말 카드 2 낱말 등급 ★★★★☆

얼떨떨하다

뜻밖의 일로 당황하거나 여러 가지 일이 복잡하여 정신을 차리지 못한다는 뜻입니다.

낱말 카드 3 낱말 등급 ★★★★☆

대꾸하다

남의 말을 그대로 받아들이지 않고 자신의 뜻을 바로 나타낸다는 뜻입니다.

낱말 카드 4 낱말 등급 ★★★★★

부라리다

눈을 크게 뜨고 눈망울을 사납게 굴린다는 뜻입니다.

낱말 카드 5 낱말 등급 ★★★☆☆

치르다

마땅히 주어야 할 돈을 내준다는 뜻입니다.

낱말 카드 6 낱말 등급 ★★★☆☆

약다

꾀가 많고 눈치가 빠르다는 뜻입니다.

낱말 카드

1장 냄새 값 빈칸에 낱말을 써 보세요.

그곳에서 우습기도 하고 얼 떨 떨 한 일이 있었어요.

SISO 진짜진짜 독서논술

1장 냄새 값 빈칸에 낱말을 써 보세요.

똘쇠는 아저씨네에서 일하는 머 슴 이에요.

SISO 진짜진짜 독서논술

1장 냄새 값 빈칸에 낱말을 써 보세요.

아저씨는 똘쇠에게 눈을 부 라 리 며 말했어요.

SISO 진짜진짜 독서논술

1장 냄새 값 빈칸에 낱말을 써 보세요.

똘쇠는 기가 막혀서 대 꾸 했어요.

SISO 진짜진짜 독서논술

1장 냄새 값 빈칸에 낱말을 써 보세요.

아저씨도 지독하지만 똘쇠도 참 약 은 것 같죠?

SISO 진짜진짜 독서논술

1장 냄새 값 빈칸에 낱말을 써 보세요.

돈 소리를 들려주는 것으로 값을 치 르 는 수밖에요.

SISO 진짜진짜 독서논술

2장 죽은 돈? 산 돈?

준비하기 36p

예

은행이 손해를 보는 거예요. (○)	은행이 손해를 보는 게 아니에요.

+ 찢어진 돈은 쓸 수 없으니까 은행이 손해를 보는 것 같아요.

따져보기1 41p

추론 **1 할머니가 잃어버린 동전이 한 닢이라는 것을 알았을 때, 세희의 마음은 어땠을까요? 세희의 마음을 잘 나타낸 낱말에 동그라미 쳐 보세요.**

답

+ 겨우 동전 한 닢이라고 생각하니까 에계라는 표현이 어울려요.

사실 **2 할머니는 세 자매에게 동전을 각각 얼마씩 주었나요? 동전 스티커를 붙여 보세요.**

답

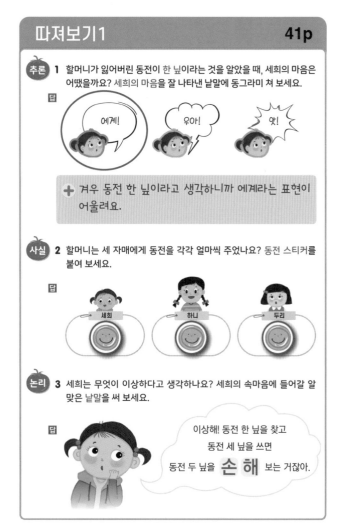

논리 **3 세희는 무엇이 이상하다고 생각하나요? 세희의 속마음에 들어갈 알맞은 낱말을 써 보세요.**

답

이상해! 동전 한 닢을 찾고 동전 세 닢을 쓰면 동전 두 닢을 **손해** 보는 거잖아.

해설

36p

은행이 찢어진 돈을 바꿔주면 손해를 보는지 생각해 보면서 화폐의 가치를 따져보는 활동입니다. 대부분 은행이 손해를 본다고 답할 수 있으므로, 이유를 말할 수 있도록 지도해 주세요. 또한 손해를 보는 게 무엇을 뜻하는지 정확하게 이해할 수 있도록 설명해 주세요.

해설

41p

1. 세희는 겨우 동전 한 닢을 찾았다고 기뻐하는 할머니가 조금 이상하다고 생각합니다. 세희의 이런 마음을 잘 표현할 수 있는 낱말을 찾는 활동입니다. 각 감탄사가 어떤 의미로 쓰이는지 정확하게 이해할 수 있도록 지도해 주세요.
2. 이야기를 잘 이해하고 있는지 확인하는 문제입니다. 동전 스티커를 붙이는 활동을 통해 할머니가 동전을 얼마나 썼는지 가늠해 볼 수 있습니다. 스티커를 맞게 붙였는지 살펴봐 주세요.
3. 할머니가 동전을 몇 닢을 쓰고 몇 닢을 찾았는지 따져서 몇 닢을 손해 보았는지 확인하는 활동입니다. 수 개념을 배우기 전이라서 어려워할 수 있으니 동전을 직접 활용해서 알려 주어도 좋습니다.

따져보기2 43p

추론 **1** 세희는 할머니의 두둑한 돈주머니를 보며 무슨 생각을 했을까요? 세희의 생각을 짐작해서 동그라미 쳐 보세요.

답

할머니는 지독한 **구두쇠** 같아.	
할머니는 돈 많은 **부자** 같아.	○
할머니는 돈 없는 **가난뱅이** 같아.	

+ 주머니가 두둑하면 돈이 많다는 뜻이니까 할머니는 돈 많은 부자 같다고 생각할 거예요.

창의 **2** 돈을 잃어버린 적이 있나요? 돈을 잃어버리면 어떤 기분이 드는지 이야기해 보세요.

예

+ 아빠가 주신 용돈을 잃어버렸는데, 너무 아까워서 눈물이 나왔어요. 그걸로 스티커를 사려고 했거든요.

비판 **3** 할머니가 세 자매에게 동전을 준 것은 잘한 걸까요? 자신의 생각에 동그라미 쳐 보세요.

예

잘한 거야. (○)	잘못한 거야.
도움을 받았으니 보답해야 해.	오히려 손해를 봤어.

+ 도와주면 보답하겠다고 약속했으니 동전을 준 건 잘했어요.

따져보기3 45p

사실 **1** 할머니가 말하는 죽은 돈은 무엇이고, 산 돈은 무엇일까요? 어울리는 것끼리 선을 그어 보세요.

답

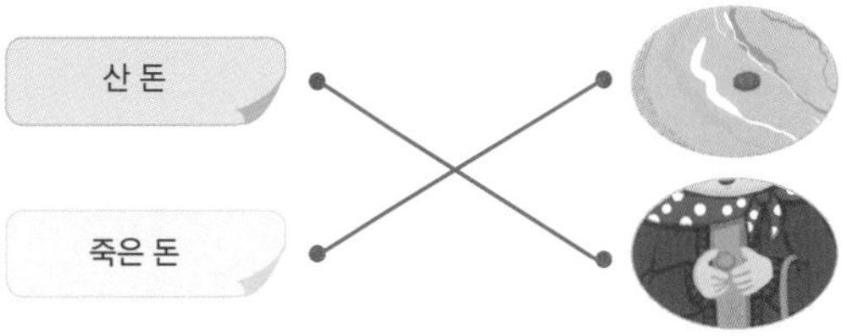

논리 **2** 냇물에 빠진 동전 한 닢을 건져 내야 할까요? 자신의 생각을 이야기해 보세요.

예

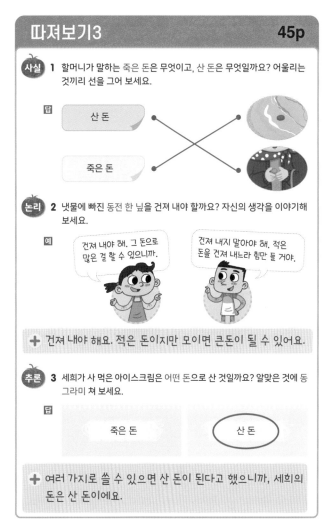

건져 내야 해. 그 돈으로 많은 걸 할 수 있으니까.
건져 내지 말아야 해. 적은 돈을 건져 내느라 힘만 들 거야.

+ 건져 내야 해요. 적은 돈이지만 모이면 큰돈이 될 수 있어요.

추론 **3** 세희가 사 먹은 아이스크림은 어떤 돈으로 산 것일까요? 알맞은 것에 동그라미 쳐 보세요.

답

죽은 돈	산 돈 (○)

+ 여러 가지로 쓸 수 있으면 산 돈이 된다고 했으니까, 세희의 돈은 산 돈이에요.

해설

43p

1. 할머니의 돈주머니를 보며 세희가 할머니를 어떻게 생각하는지 추론해 보는 활동입니다. 이야기의 맥락을 통해서 합리적인 추론을 이끌어 냈는지 답을 살펴봐 주세요.
2. 등장인물처럼 비슷한 처지에 놓였던 적이 있는지 경험을 떠올리며 등장인물의 심정을 이해해 보는 활동입니다. 경험을 자신 있게 이야기하면서 말로 표현하는 데 자신감도 기를 수 있습니다.
3. 할머니가 동전을 준 행동이 잘한 일인지 비판해 보는 활동입니다. 정해진 답이 없으므로 어떻게 판단하든 생각을 존중해 주시고, 잘잘못에 대한 근거를 들 수 있도록 왜 그렇게 생각하는지 물어봐 주세요.

해설

45p

1. 죽은 돈과 산 돈에 대한 개념을 그림을 통해 이해해 보는 문제입니다. 냇물에 빠진 돈은 다른 데에 쓸 수 없으므로 이용 가치가 없어져서 죽은 돈이 될 수 있음을 설명해 주세요.
2. 동전 한 닢을 어느 정도 가치 있다고 생각하는지 따져보는 활동입니다. 예시에 나온 주장을 읽어 논리적 근거를 마련할 수 있도록 지도해 주세요.
3. 이야기에 나온 문맥적 의미를 잘 이해해서 산 돈의 의미를 추론해 보는 활동입니다. 문맥에서는 여러 가지로 쓰임이 있는 돈을 산 돈으로 표현했으므로 이를 통해 정확하게 답을 찾을 수 있도록 지도해 주세요.

간추리기 46p

세 자매 이야기

하니와 두리, 세희 이야기를 일이 **일어난 순서대로 번호를 써 봐.**

답

3 → 2 → 4 → 1

짚어보기1 47p

죽은 돈 산 돈

다음 상황에서 동전은 '죽은 돈'일까, '산 돈'일까? **네 생각에 동그라미 쳐 봐.**

예

할머니 주머니 속에 있을 때는

죽은 돈 / (산 돈)

+ 주머니 속에 있지만 앞으로 다양하게 쓸 수 있어요.

냇물 속에 빠졌을 때는

(죽은 돈) / 산 돈

+ 냇물에 있어서 쓸 수 없으니 죽은 돈이에요.

아이들에게 주었을 때는

죽은 돈 / (산 돈)

+ 아이들이 돈을 여러 가지로 쓸 수 있어요.

아이스크림을 사 먹을 때는

죽은 돈 / (산 돈)

+ 아이스크림 가게 주인이 돈을 쓸 수 있어요.

해설

46p

사건이 일어난 순서대로 잘 이해하고 있는지 확인하는 활동입니다. 그림을 보면서 어떤 사건이 벌어졌는지 이야기해 볼 수 있도록 지도해 주세요.

47p

다양한 상황에서 돈의 효용 가치를 생각해 보는 활동입니다. 예처럼 답하지 않더라도 생각을 존중해 주시고 넓은 마음으로 수용해 주세요. 또한 생각의 근거를 마련할 수 있도록 이야기를 나눠 보세요.

짚어보기2 48p

손해일까?

다음 상황에서 할머니가 손해를 본 건지, 손해를 본 게 아닌지 **O나 X에 동그라미 쳐 봐.**

예

손해다 / 손해가 아니다

할머니가 동전을 냇물에 빠뜨렸어요. — (O) / X

세 자매의 도움으로 동전을 찾았어요. — O / (X)

보답으로 동전 세 닢을 세 자매에게 주었어요. — O / (X)

+ 보답으로 준 돈을 손해라고 할 수 없어요.

세 자매가 동전을 썼어요. — O / (X)

+ 동전을 썼지만 물건을 샀으니 손해가 아니에요.

짚어보기3 49p

동전 나누기

만약 동전을 찾아 준 보답으로 동전 한 닢만 받는다면, 세 자매는 동전을 어떻게 나눌까? **좋은 방법을 생각해서 그림을 그리고 말해 봐.**

할머니, 보답으로 동전 한 닢만 받겠어요.
그래? 그럼 셋이서 동전 한 닢을 어떻게 나눌 거니?

그림으로 마음껏 표현해 보세요.

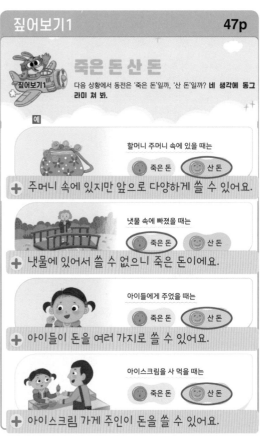

동전 한 닢을 세 조각으로 쪼개서 나눠 가질 수도 없는데….

2장 죽은 돈? 산 돈? 49

48p

여러 상황을 비교해서 손해를 보는 게 어떤 것인지 생각해 보는 활동입니다. 할머니에게 손해인 것처럼 보이는 상황도 다른 관점으로 보면 손해가 아닐 수도 있습니다. 다양한 생각을 존중해 주세요.

49p

세 명이 동전 한 닢을 어떻게 나누어 가질지 창의적으로 해결해 보는 활동입니다. 동전을 세 조각으로 나누겠다고 하면 조각으로 나누어진 동전을 사용할 수 있는지 더 물어봐 주세요.

짚어보기4 50p

쓸까 말까

하니와 세희가 동전을 어디에 썼는지 어울리는 말풍선 스티커를 붙여 봐. **또 두리의 고민에 O나 X에 동그라미 쳐서 답해 봐.**

답

50

+ 꼭 필요한 데 쓰면 산 돈이 되는 거예요.

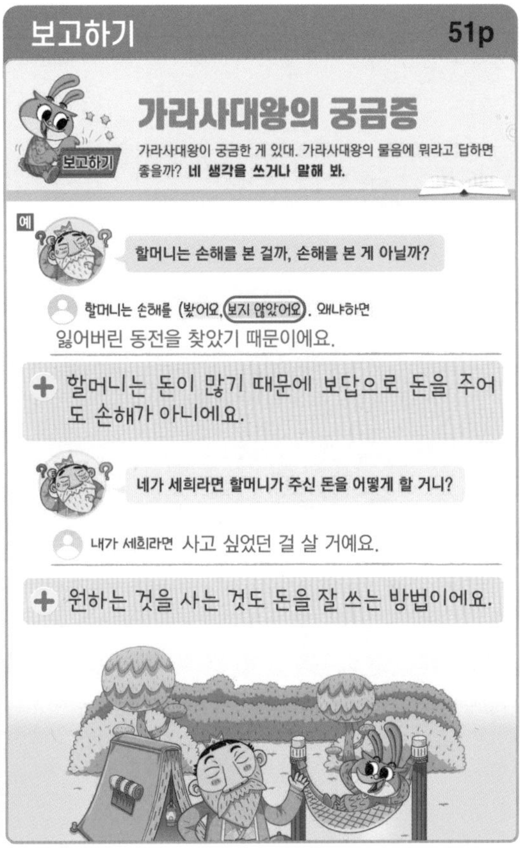

보고하기 51p

가라사대왕의 궁금증

가라사대왕이 궁금한 게 있대. 가라사대왕의 물음에 뭐라고 답하면 좋을까? **네 생각을 쓰거나 말해 봐.**

예

할머니는 손해를 본 걸까, 손해를 본 게 아닐까?

할머니는 손해를 (봤어요, (보지 않았어요)). 왜냐하면
잃어버린 동전을 찾았기 때문이에요.

+ 할머니는 돈이 많기 때문에 보답으로 돈을 주어도 손해가 아니에요.

네가 세희라면 할머니가 주신 돈을 어떻게 할 거니?

내가 세희라면 사고 싶었던 걸 살 거예요.

+ 원하는 것을 사는 것도 돈을 잘 쓰는 방법이에요.

해설

50p

하니와 세희가 돈을 어디에 썼는지 확인하면서 이들이 돈을 쓴 게 경제 순환에 도움이 되는지 따져보는 활동입니다. 두리가 돈을 써야 한다고 생각한다면 어디에 쓰면 좋을지 더 고민해 볼 수 있습니다.

51p

이야기의 주제에 대한 자신의 생각을 정리하는 활동입니다. 아직 문장을 쓰기 어려운 아이들은 말로 표현할 수 있도록 지도해 주세요.

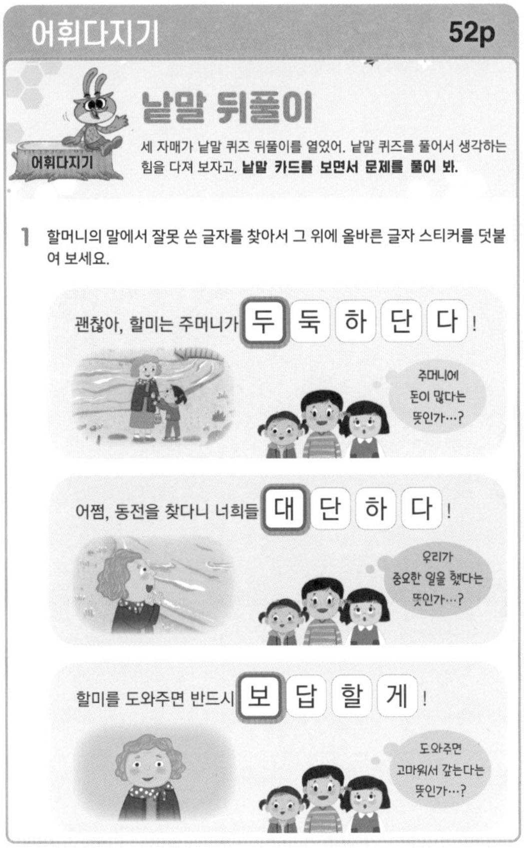

어휘다지기 52p

낱말 뒤풀이

세 자매가 낱말 퀴즈 뒤풀이를 열었어. 낱말 퀴즈를 풀어서 생각하는 힘을 다져 보자고. **낱말 카드를 보면서 문제를 풀어 봐.**

1 할머니의 말에서 잘못 쓴 글자를 찾아서 그 위에 올바른 글자 스티커를 덧붙여 보세요.

괜찮아, 할미는 주머니가 두 둑 하 단 다 !

어쩜, 동전을 찾다니 너희들 대 단 하 다 !

할미를 도와주면 반드시 보 답 할 게 !

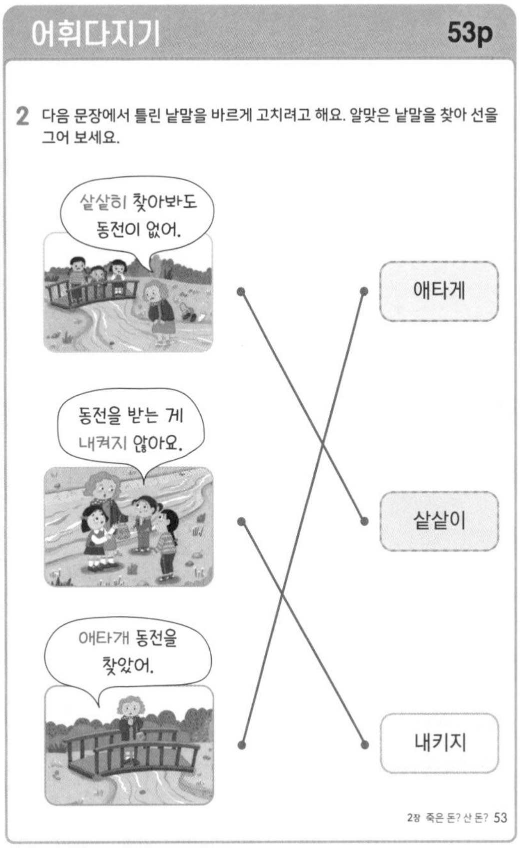

어휘다지기 53p

2 다음 문장에서 틀린 낱말을 바르게 고치려고 해요. 알맞은 낱말을 찾아 선을 그어 보세요.

52~53p

낱말 카드에서 다룬 어휘를 다시 한번 문제로 풀어보면서 어휘력을 기르는 활동입니다. 낱말 카드를 보면서 문제를 풀 수 있도록 지도해 주세요.

낱말 카드

낱말 카드 1 낱말 등급 ★★★☆☆

애타다

몹시 걱정이 되거나
안타깝고 답답하다는 뜻입니다.

낱말 카드 2 낱말 등급 ★★★☆☆

보답하다

남에게 입은 은혜나 고마움을
갚는다는 뜻입니다.

낱말 카드 3 낱말 등급 ★★★☆☆

샅샅이

빈틈없이 모두를 뜻하는 말입니다.

낱말 카드 4 낱말 등급 ★★★★☆

두둑하다

매우 두껍거나 넉넉하고 많다는 뜻입니다.

낱말 카드 5 낱말 등급 ★☆☆☆☆

대단하다

몹시 크거나 많다,
혹은 뛰어나다는 뜻입니다.

낱말 카드 6 낱말 등급 ★★★☆☆

내키다

하고 싶은 마음이 생긴다는 뜻입니다.

낱말 카드

2장 죽은 돈? 산 돈? 빈칸에 낱말을 써 보세요.

동전을 찾으면
꼭 보 답 할게.

SISO 진짜진짜 독서논술

2장 죽은 돈? 산 돈? 빈칸에 낱말을 써 보세요.

뭔가를 애 타 게
찾고 있는 듯했지요.

SISO 진짜진짜 독서논술

2장 죽은 돈? 산 돈? 빈칸에 낱말을 써 보세요.

할머니의 두 둑 한
돈주머니를 보며 물었어요.

SISO 진짜진짜 독서논술

2장 죽은 돈? 산 돈? 빈칸에 낱말을 써 보세요.

냇물 속을
샅 샅 이 뒤졌지요.

SISO 진짜진짜 독서논술

2장 죽은 돈? 산 돈? 빈칸에 낱말을 써 보세요.

내 키지 않았지만
아이스크림을 사 먹었어요.

SISO 진짜진짜 독서논술

2장 죽은 돈? 산 돈? 빈칸에 낱말을 써 보세요.

죽은 돈이 산 돈이 될 수 있으니
대 단 해요.

SISO 진짜진짜 독서논술

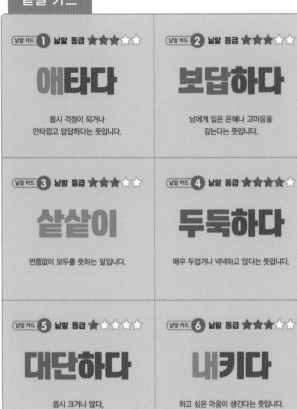

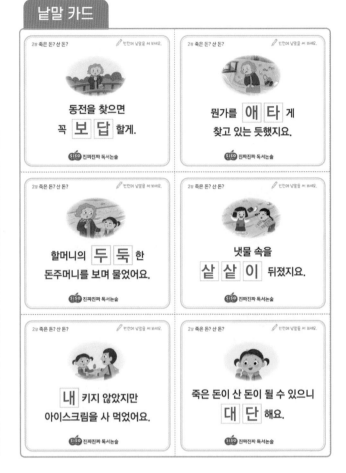

준비하기 56p

예

+ 우산을 쓰지 않겠다고 떼를 쓴 아이가 잘못했어요.

따져보기1 61p

사실 **1** 하인은 왜 우는 걸까요? 알맞은 이유를 모두 찾아 동그라미 쳐 보세요.

답

- 배가 무서워서 울었어요. ○
- 배가 고파서 울었어요.
- 뱃멀미를 해서 울었어요. ○

창의 **2** 하인처럼 무엇을 처음 하면서 무서웠던 적이 있나요? 경험을 이야기 해 보세요.

예

+ 유치원에 처음 갔을 때 무서웠어요. 아는 친구가 하나도 없어서요.

창의 **3** 하인의 울음소리 때문에 화가 난 주인님의 표정은 어땠을까요? 그려 보세요.

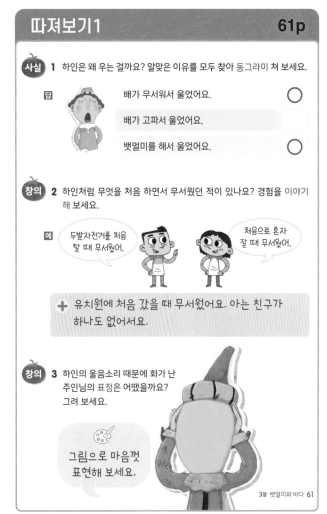

해설

56p

일상생활에서 흔하게 발생할 수 있는 갈등 상황을 통해, 양측의 입장을 모두 헤아려 보는 활동입니다. 엄마와 아이의 입장이 되면 어떤 기분이 들 것 같은지 충분히 이야기를 나눠 보세요.

해설

61p

1. 이야기를 잘 이해하고 있는지 확인하는 사실적 질문입니다. 배를 처음 탄 하인은 배가 무섭고 뱃멀미를 해서 울었습니다. 이유를 하나만 찾았다면 두 가지 모두 찾을 수 있도록 지도해 주세요.
2. 처음으로 무엇인가를 해 보면 낯설거나 몰라서 겁을 먹는 아이들이 많습니다. 무서웠던 경험을 이야기하면서 무엇이 왜 무서운지 구체적으로 말해 볼 수 있도록 지도해 주세요.
3. 화가 난 감정을 눈, 코, 입 표정으로 그려보는 창의적 활동입니다. 감정을 그림으로 표현하면서 등장인물의 감정을 더 구체적으로 느껴볼 수 있습니다.

따져보기2 63p

비판 1 계속 우는 하인을 매질해도 될까요? 자신의 생각에 동그라미 쳐 보세요.

예 해도 된다 / (하면 안 된다)

➕ 때리는 건 무조건 안 돼요.

논리 2 선장은 왜 하인이 울음을 그치게 만들겠다며 나섰을까요? 알맞은 이유를 말한 친구에게 엄지척 스티커를 붙여 주세요.

답

울음소리가 시끄러워서!
배를 책임지는 사람이니까!
하인을 배 밖으로 던지고 싶어서!
스티커
스티커

➕ 선장은 배를 책임져야 하니까 직접 나선 것 같아요.

추론 3 선장이 바다에 내던지라고 명령했을 때 하인은 무슨 생각을 했을까요? 다음에서 골라 동그라미 쳐 보세요.

답

에이, 괜히 겁을 주려는 거겠지.
와, 바다에서 수영하면 재밌겠다.

➕ 설마설마하는 마음이니까 진짜로 생각하지 않았을 거예요.

따져보기3 65p

추론 1 하인은 큰일 날 것 같아서 창고로 들어갔어요. 하인이 생각하는 큰일은 무엇일까요? 자신의 생각을 이야기해 보세요.

예

하인은 큰일이 날까 봐 무서웠어.
하인이 생각하는 큰일이 뭐냐면…

➕ 또 물에 빠뜨리면 죽을 수 있다는 생각을 했을 거예요.

논리 2 바다에 빠졌던 하인은 '배'에 대한 생각이 바뀌었을까요? 하인의 생각을 짐작해서 배 스티커를 붙여 보세요.

예

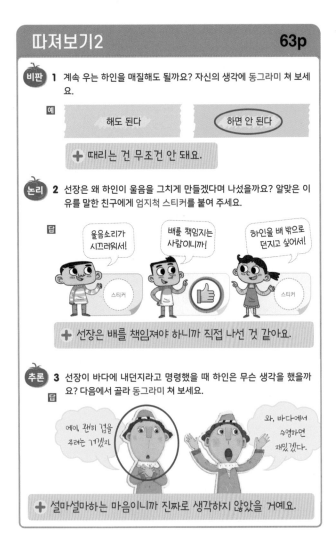

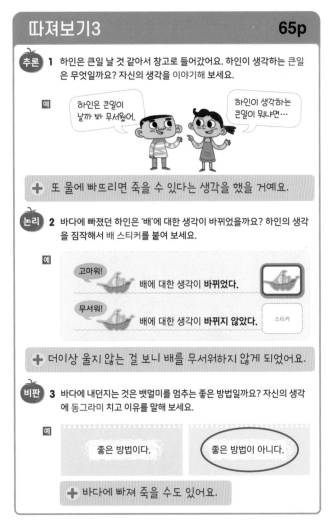

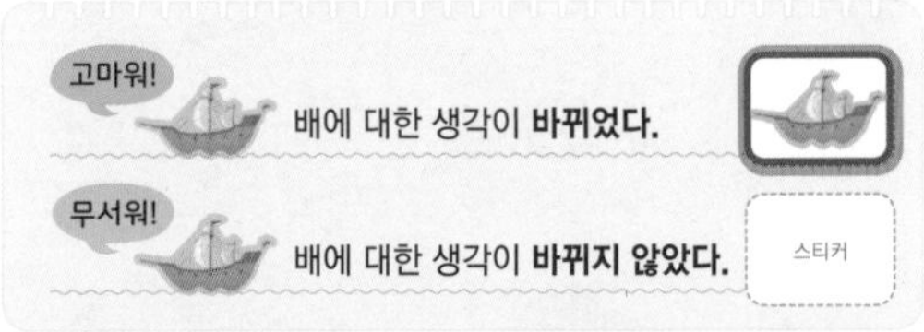

고마워!
배에 대한 생각이 **바뀌었다.**
무서워!
배에 대한 생각이 **바뀌지 않았다.**
스티커

➕ 더이상 울지 않는 걸 보니 배를 무서워하지 않게 되었어요.

비판 3 바다에 내던지는 것은 뱃멀미를 멈추는 좋은 방법일까요? 자신의 생각에 동그라미 치고 이유를 말해 보세요.

예 좋은 방법이다. / (좋은 방법이 아니다.)

➕ 바다에 빠져 죽을 수도 있어요.

해설

63p

1. 주인님의 행동이 옳은지 그른지 비판해 보는 활동입니다. 매질을 하면 안 된다고 대답한다면 왜 매질을 하면 안 되는지 매질이 나쁜 이유도 말할 수 있도록 지도해 주세요.
2. 선장이 어떤 사람인지 이야기의 맥락에서 파악할 수 있는지 확인해 보는 활동입니다. 선장은 배를 책임지는 사람이라고 문맥에 나와 있으니, 정확한 답을 찾을 수 있도록 지도해 주세요.
3. '설마설마하다'의 뜻을 문맥적으로 파악해서 하인의 생각을 추론해 보는 활동입니다. 설마설마하다는 어떤 일이 일어날 가능성을 부정한다는 뜻이므로 하인은 선장이 괜히 겁을 주려는 것으로 생각했습니다.

해설

65p

1. 하인의 생각을 짐작해서 이야기해 보는 추론 활동입니다. 글을 쓰기 어려워하는 아이들을 위해 말하기 활동으로 꾸몄습니다. 자신 있게 말할 수 있도록 지도해 주세요.
2. 울음을 그친 하인을 보면서 배에 대한 생각이 바뀌었을지 짐작해 보는 활동입니다. 정해진 답이 없으므로 자신의 생각을 뒷받침하는 이유를 말할 수 있도록 지도해 주세요.
3. 선장의 행동이 옳은지, 그른지 비판적으로 따져보는 활동입니다. 선장의 행동을 어떻게 판단하든지 모두 답이 될 수 있습니다. 자신의 생각을 뒷받침하는 이유를 말할 수 있도록 지도해 주세요.

해설

66p

상황에 맞는 하인의 감정을 추론해서 어울리는 표정을 그려보는 활동입니다. 자신 있게 표정을 그리게 지도해 주시고, 어떤 표정을 그렸는지, 어떤 감정을 표현했는지 물어봐 주세요.

67p

주인님과 선장이 배를 처음 탔을 때는 어땠을지 상상해서 그림으로 표현하는 활동입니다. 재미있고 다양한 사건을 자유롭게 상상해 볼 수 있도록 지도해 주세요.

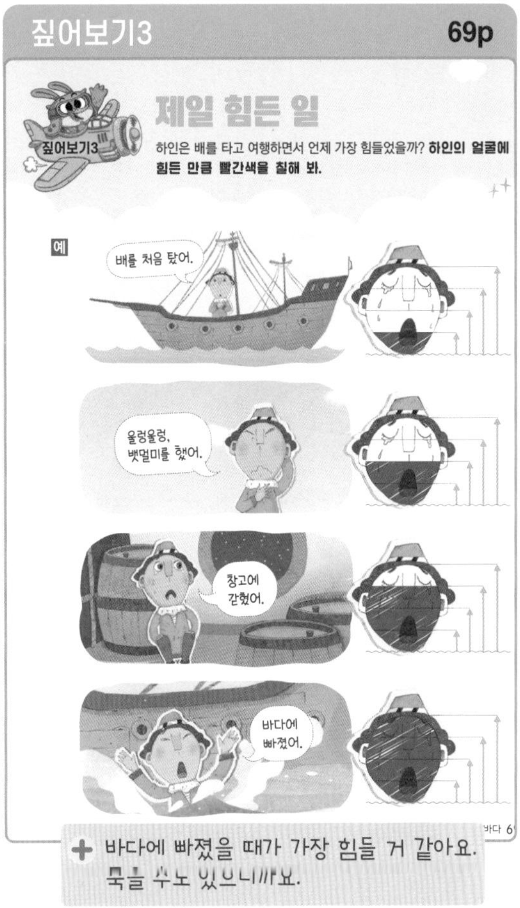

68p

주인님과 하인은 힘든 이유가 다릅니다. 이 차이를 이해해서 이들에게 필요한 물건이 무엇인지 찾아보는 활동입니다. 그림으로 제시된 물건 말고도 다른 물건을 생각해 낼 수 있으니 아이들의 다양한 의견을 들어주세요.

69p

하인의 입장이 되어서 무엇이 얼마나 힘들지 표현해 보는 활동입니다. 하인의 얼굴에 힘든 만큼 빨간색을 칠해 보면서 힘든 상황을 짐작해 볼 수 있습니다.

짚어보기4 70p

선장이 너무해

바다에 던져진 하인을 보고 주인님과 선원들은 선장이 너무하다고 생각했을까? **이들의 생각을 짐작해서 동그라미 쳐 봐.**

예

너무해!
괜찮아!
주인님
너무해!
괜찮아!
선원 1
너무해!
괜찮아!
선원 2
너무해!
괜찮아!
선원 3

70

+ 주인님은 매질도 하려고 했으니까 물에 빠뜨리는 것도 괜찮다고 생각할 거 같아요.

보고하기 71p

가라사대왕의 궁금증

가라사대왕이 궁금한 게 있대. 가라사대왕의 물음에 뭐라고 답하면 좋을까? **네 생각을 쓰거나 말해 봐.**

예

선장이 하인을 바다에 던진 건 너무한 걸까?

선장이 (너무해요) 너무하지 않아요). 왜냐하면 죽을 수도 있기 때문이에요.

네가 선장이라면 하인의 울음을 어떻게 그치게 할 거니?

내가 선장이라면 멀미약을 줄 거예요. 멀미가 그치면 울지 않을 거예요.

해설

70p

바다에 빠뜨리는 행동을 여러 입장이 되어서 비판해 보는 활동입니다. 모두 너무하다고 답할 수도 있으니, 각각의 입장 차이를 더 생각해 볼 수 있도록 자신이 직접 주인님이나 선원이 되었다고 상상해 보고 답할 수 있도록 지도해 주세요.

71p

이야기의 주제에 대한 자신의 생각을 정리하는 활동입니다. 아직 문장을 쓰기 어려운 아이들은 말로 표현할 수 있도록 지도해 주세요.

어휘다지기 72p

낱말 뒤풀이

하인이 낱말 퀴즈 뒤풀이를 열었어. 낱말 퀴즈를 풀어서 생각하는 힘을 다져 보자고. **낱말 카드를 보면서 문제를 풀어 봐.**

1 다음 밑줄 친 낱말이 같은 의미로 쓰인 문장을 찾아 동그라미 쳐 보세요.

뱃멀미가 심해서 밤새 울었어요.

올빼미는 낮에 잠을 자고 밤에 먹이를 잡는 밤새야. / (밤새 게임을 하면 안 돼.)

2 하인이 탔던 배의 표에서 글자가 지워졌어요. 알맞은 낱말을 써 보세요.

날짜	20XX년 XX월 XX일
출발 시각	09시 30분
목적지	행복 도시

주의 사항

1. 배 안에서는 안전을 위해서 규칙을 꼭 지켜 주세요.
2. 배를 책임지는 선장의 지시를 따라 주세요.
3. 뱃멀미를 하면 속이 울 렁 울 렁, 머리가 어 질 어 질 할 수 있으니 멀미약을 드세요.

어휘다지기 73p

3 하인이 창고 벽에 낙서를 남겼는데 틀린 글자가 있어요. 틀린 글자를 바르게 고쳐 써 보세요.

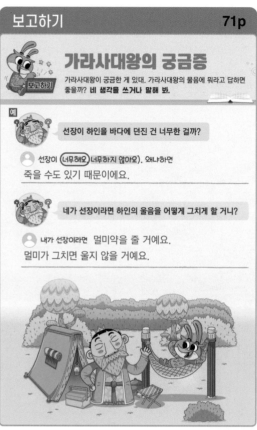

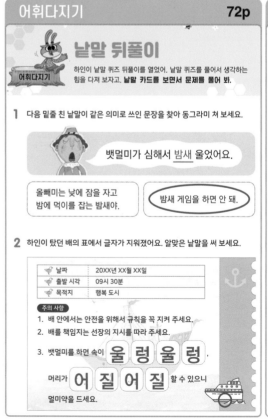

운다고 ❶매잘을 하려는 주인님 싫어. ㅠㅠ
운다고 바다에 빠뜨리는 선장도 싫어. ㅠㅠ
❷어뿌어뿌, 죽을 뻔했잖아!
❸허갑지갑 걸음아 날 살려라!

❶ 매 질

❷ 어 푸 어 푸

❸ 허 겁 지 겁

72~73p

낱말 카드에서 다룬 어휘를 다시 한번 문제로 풀어보면서 어휘력을 기르는 활동입니다. 낱말 카드를 보면서 문제를 풀 수 있도록 지도해 주세요.

낱말 카드

낱말 카드 1 낱말 등급 ★★★★☆

어질어질

정신이 흐리고 어지러운 느낌을 말합니다.

낱말 카드 2 낱말 등급 ★★★★☆

울렁울렁

가슴이 자꾸 두근거리거나
토할 것 같은 느낌을 말합니다.

낱말 카드 3 낱말 등급 ★★★☆☆

밤새

밤이 지나는 동안을 말합니다.

낱말 카드 4 낱말 등급 ★★★★☆

매질

매로 때리는 일을 말합니다.

낱말 카드 5 낱말 등급 ★★★★☆

어푸어푸

물에 빠져서 물을 들이마시며
괴롭게 내는 소리나 모양을 뜻하는 말입니다.

낱말 카드 6 낱말 등급 ★★★★☆

허겁지겁

조급한 마음으로
몹시 서두르는 모양을 뜻하는 말입니다.

낱말 카드

3장 뱃멀미와 바다 빈칸에 낱말을 써 보세요.

속이 울 렁 울 렁,
꼭 죽을 것만 같았어요.

SISO 진짜진짜 독서논술

3장 뱃멀미와 바다 빈칸에 낱말을 써 보세요.

저는 머리가
어 질 어 질 했어요.

SISO 진짜진짜 독서논술

3장 뱃멀미와 바다 빈칸에 낱말을 써 보세요.

계속 울고불고하면
매 질 을 하겠다.

SISO 진짜진짜 독서논술

3장 뱃멀미와 바다 빈칸에 낱말을 써 보세요.

저는 밤 새 끙끙 앓으며
울어 댔지요.

SISO 진짜진짜 독서논술

3장 뱃멀미와 바다 빈칸에 낱말을 써 보세요.

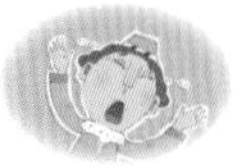

저는 허 겁 지 겁 창고
구석으로 기어 들어갔어요.

SISO 진짜진짜 독서논술

3장 뱃멀미와 바다 빈칸에 낱말을 써 보세요.

어 푸 어 푸,
숨을 쉴 수가 없었어요.

SISO 진짜진짜 독서논술

준비하기 76p

코끼리가 어떻게 생겼는지 말해 보아라!

코끼리는 뱀처럼 생겼어!
무슨 소리, 큰 부채 같은걸!
아니야, 커다란 바위 같은데!
굵은 기둥 같았어!
틀렸어, 큰 무처럼 생겼다고!
흥, 코끼리는 밧줄 같다고!

예

✚ 답이 없어요. 코끼리는 이들의 말을 모두 합친 것처럼 생겼어요.

따져보기1 81p

사실 **1** 독수리와 올빼미의 특징을 찾아 알맞게 선을 연결해 보세요.

답

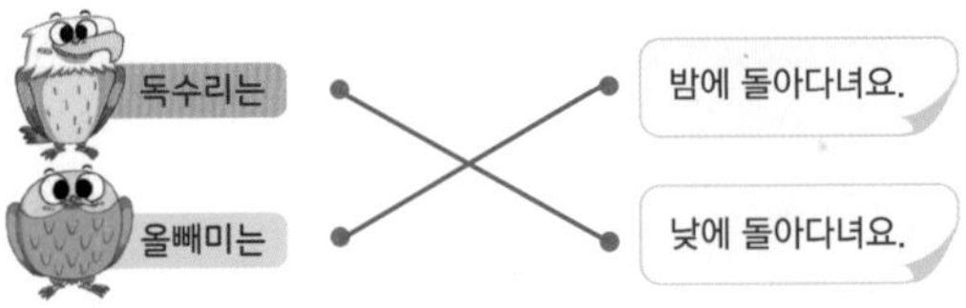
독수리는
올빼미는
밤에 돌아다녀요.
낮에 돌아다녀요.

논리 **2** 독수리와 올빼미는 마음속으로 서로를 어떻게 생각하고 있을까요? 각각 속마음을 짐작해서 번호를 써 보세요.

예

독수리는 5 같아.
올빼미는 1 같아.

① 바보 ② 천재 ③ 심술쟁이 ④ 꾀쟁이 ⑤ 고집쟁이

✚ 올빼미와 독수리는 사이가 안 좋아서 서로 나쁘게 생각할 거예요.

창의 **3** 올빼미와 독수리처럼 친구와 사이좋게 지내기로 약속해 본 적이 있나요? 경험을 이야기해 보세요.

예

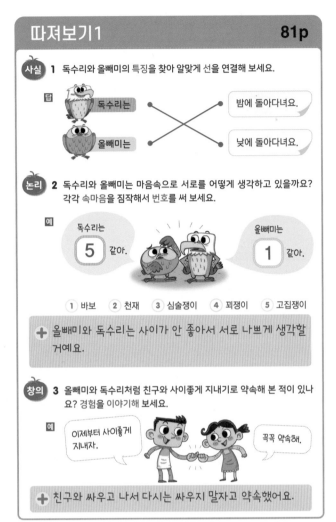

이제부터 사이좋게 지내자.
꼭꼭 약속해.

✚ 친구와 싸우고 나서 다시는 싸우지 말자고 약속했어요.

해설

76p

전체를 보지 못하고 부분을 보게 되면 어떤 문제가 생기는지 재미있는 예화를 통해 살펴보는 활동입니다. 이중에서 하나를 답으로 고른다면 나머지는 왜 답이 될 수 없는지 더 생각해 볼 수 있도록 지도해 주세요.

해설

81p

1. 밤에 활동하는 올빼미와 낮에 활동하는 독수리의 특징을 잘 이해하고 있는지 확인하는 사실적 질문입니다. 정확하게 답을 찾았는지 확인해 주세요.
2. 독수리와 올빼미가 서로를 어떻게 생각하는지 짐작해서 알맞은 낱말로 표현해 보는 활동입니다. 모두 답이 될 수 있으므로 제시된 낱말의 뜻을 알아 올빼미와 독수리의 특징과 연결 지어 볼 수 있도록 지도해 주세요.
3. 등장인물의 관계를 잘 이해하기 위해서 비슷한 경험을 떠올려 보는 활동입니다. 자신의 경험을 이야기하면서 친구와의 관계를 더 구체적으로 생각해 볼 수 있으므로 자유롭게 말할 수 있도록 지도해 주세요.

따져보기2 83p

추론 1 올빼미와 독수리가 똑같이 걱정하는 것은 무엇일까요? 다음에서 찾아 동그라미 쳐 보세요.

답

자기의 새끼가 못생겼다는 말을 들을까 봐 걱정해.
자기의 새끼가 잡아먹힐까 봐 걱정해.

사실 2 올빼미가 설명한 새끼 올빼미의 모습과 독수리가 본 새끼 올빼미의 모습으로 알맞은 것을 찾아 선을 연결해 보세요.

답

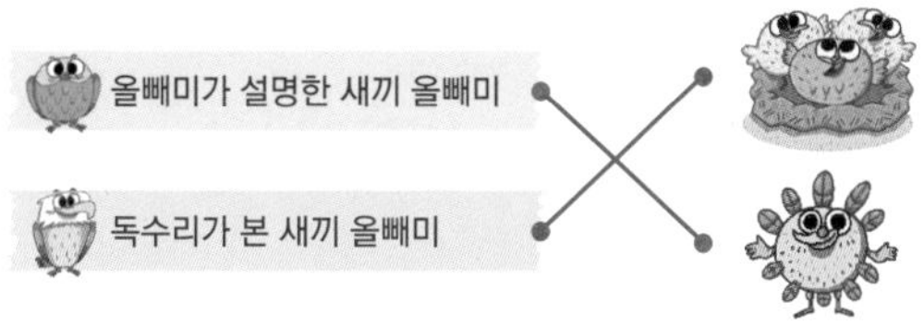
올빼미가 설명한 새끼 올빼미
독수리가 본 새끼 올빼미

논리 3 독수리는 왜 바위틈에서 본 새끼 새들이 새끼 올빼미가 아니라고 생각할까요? 알맞은 이유에 동그라미 쳐 보세요.

예

무슨 새인지 몰라서.
올빼미가 설명한 모습과 달라서.

+ 둘 다 맞아요. 무슨 새인지도 몰랐는데, 올빼미가 설명한 모습과 달라서 새끼 올빼미가 아니라고 생각했어요.

따져보기3 85p

추론 1 다음 속담의 뜻을 알아보고, 올빼미가 자기 새끼들이 예쁘다고 한 이유를 말해 보세요.

답

속담 고슴도치도 제 새끼가 제일 곱다고 한다.

부모 눈에는 제 자식이 다 잘나고 귀여워 보인다더니….
아이고, 털도 어쩜 이렇게 예쁘니.
내가 제일 예쁘죠?

+ 고슴도치도 자기 새끼를 제일 예뻐하듯이 올빼미도 자기 새끼들이 제일 예쁘다고 생각해요.

비판 2 올빼미와 독수리 중에서 누가 잘못했다고 생각하나요? 동그라미 쳐 보세요.

예

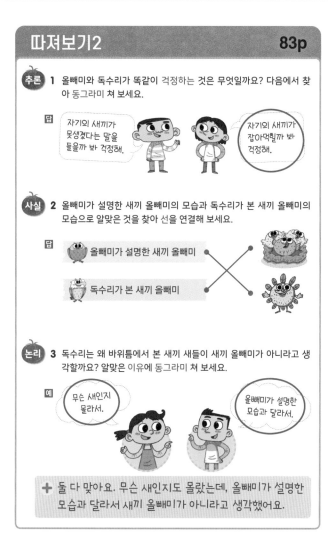

독수리
올빼미
둘 다

+ 올빼미가 새끼의 생김새를 제대로 설명했어야 해요.

해설

83p

1. 올빼미와 독수리가 똑같이 걱정하는 게 무엇인지 정확한 이유를 추론해 보는 활동입니다. 이야기를 잘 읽으면서 정확한 답을 찾는지 살펴봐 주세요.
2. 올빼미의 설명이 새끼 올빼미의 진짜 생김새와 어떻게 다른지 그림으로 확인해 보는 활동입니다. 왜 올빼미는 새끼 올빼미의 생김새를 실제와 다르게 설명했을지 더 생각해 볼 수 있도록 질문해 주세요.
3. 이야기의 맥락을 이해해서 독수리가 새끼 올빼미를 잡아먹은 이유를 생각해 보는 활동입니다. 정해진 답이 없고 모두 답이 될 수 있으므로, 왜 그렇게 생각하는지 이유를 물어봐 주세요.

해설

85p

1. 이야기의 주제와 관련된 속담을 그림으로 살펴본 후, 올빼미가 왜 새끼들을 예쁘다고 했는지 이유를 추론해 보는 활동입니다. 속담과 올빼미의 행동을 연관 지어서 생각해 볼 수 있으면 좋습니다.
2. 올빼미와 독수리의 행동이 잘못되었는지 비판적으로 따져보는 활동입니다. 정해진 답이 없고 모두 답이 될 수 있으므로, 누가 잘못했다고 생각하든 왜 그렇게 판단했는지 이유를 물어봐 주세요.

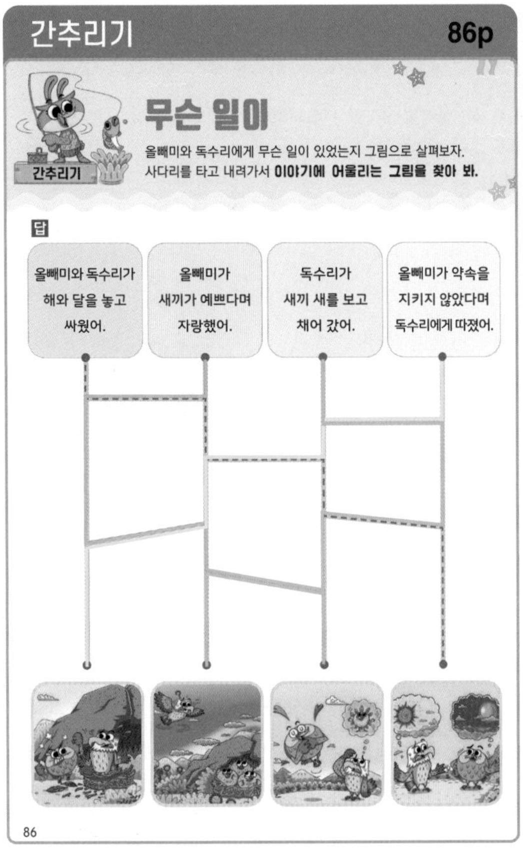
간추리기 86p
무슨 일이
간추리기
올빼미와 독수리에게 무슨 일이 있었는지 그림으로 살펴보자.
사다리를 타고 내려가서 **이야기에 어울리는 그림을 찾아 봐.**
답
올빼미와 독수리가 해와 달을 놓고 싸웠어.
올빼미가 새끼가 예쁘다며 자랑했어.
독수리가 새끼 새를 보고 채어 갔어.
올빼미가 약속을 지키지 않았다며 독수리에게 따졌어.
86

짚어보기1 87p
해와 달
짚어보기1
올빼미와 독수리가 해와 달을 그림으로 본다면 무슨 생각을 할까?
이들의 속마음을 짐작해서 색칠해 봐.
답
얘들아, 내가 해와 달을 그렸어. 이것 좀 보렴.
해
달
다 아는 척하면 안 되겠구나.
무조건 내 말이 옳다고 우겨야겠구나.
내 말만 맞다고 우기면 안 되겠구나.
다른 사람의 말은 들을 필요가 없겠구나.
상대방의 말을 무시하면 안 되겠구나.
저게 해라고?
저게 달이라고?
무조건 자기 말만 우기지 말고 상대방 말도 귀담아 들어야 한다는 걸 깨달았을 거예요.

해설

86p

이야기를 잘 기억하고 있는지 정리된 내용과 어울리는 그림을 찾는 활동입니다. 재미있게 사다리를 타면서 그림과 내용을 연결할 수 있습니다.

87p

올빼미와 독수리는 자신의 말만 맞다고 우기며 상대방의 말을 듣지 않았습니다. 만약 이들이 해도 있고 달도 있다는 사실을 안다면 어떻게 반응할지 추론해 보면서 상대방의 생각을 존중해 줘야 하는 이유를 생각해 볼 수 있습니다.

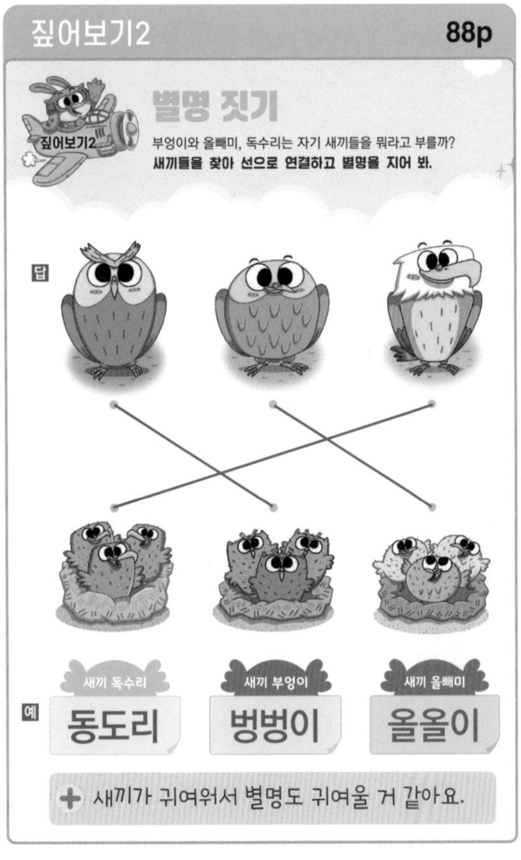
짚어보기2 88p
별명 짓기
짚어보기2
부엉이와 올빼미, 독수리는 자기 새끼들을 뭐라고 부를까?
새끼들을 찾아 선으로 연결하고 별명을 지어 봐.
답
새끼 독수리
새끼 부엉이
새끼 올빼미
예
동도리
벙벙이
올올이
새끼가 귀여워서 별명도 귀여울 거 같아요.

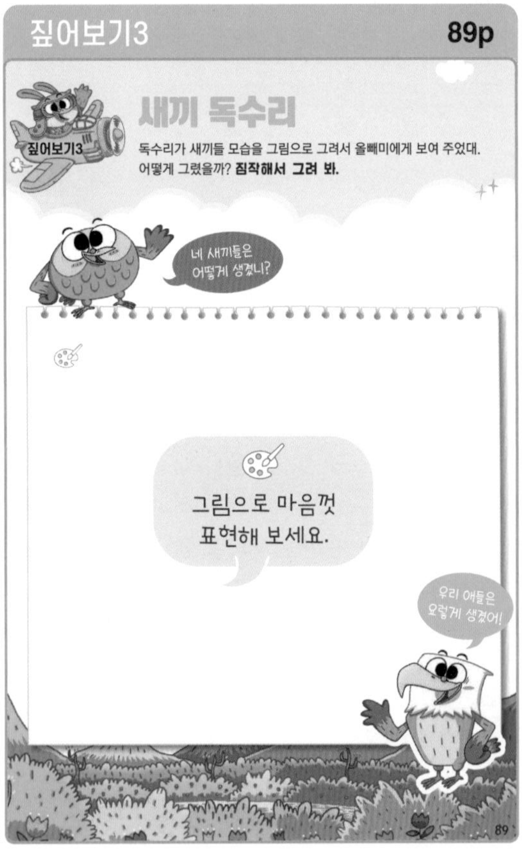
짚어보기3 89p
새끼 독수리
짚어보기3
독수리가 새끼들 모습을 그림으로 그려서 올빼미에게 보여 주었대.
어떻게 그렸을까? **짐작해서 그려 봐.**
네 새끼들은 어떻게 생겼니?
그림으로 마음껏 표현해 보세요.
우리 애들은 요렇게 생겼어!
89

88p

새끼들을 예뻐하는 부모의 마음을 이해해서 별명을 지어 보는 창의적 활동입니다. 특징을 잡아서 별명을 지어도 좋고 이름과 비슷하게 지어도 좋습니다. 아이의 창의적 표현에 재미있게 반응해 주세요.

89p

독수리가 새끼들의 모습을 어떻게 설명할지 상상해 보고, 그림으로 표현해 보는 창의적 활동입니다. 독수리의 입장을 충분히 반영해서 표현하는지 살펴봐 주세요.

짚어보기4　　90p

누구 잘못

다른 새들은 올빼미와 독수리 중에서 누가 잘못했다고 생각할까? **짐작해서 스티커를 붙여 봐.**

네가 우리 예쁜 새끼들을 잡아먹었잖아!

네가 새끼들 모습을 잘못 설명했잖아!

예

내 생각에는… / 독수리가 잘못했어. (스티커) / 올빼미가 잘못했어.

내 생각에는… / 독수리가 잘못했어. (스티커) / 올빼미가 잘못했어.

내 생각에는… / 독수리가 잘못했어. (스티커) / 올빼미가 잘못했어.

➕ 올빼미가 잘못했다고 생각할 거 같아요. 올빼미 책임이 크니까요.

보고하기　　91p

가라사대왕의 궁금증

가라사대왕이 궁금한 게 있대. 가라사대왕의 물음에 뭐라고 답하면 좋을까? 네 생각을 쓰거나 말해 봐.

예

네가 올빼미라면 새끼의 생김새를 어떻게 설명할 거니?

내가 올빼미라면

동그랗게 생겼고 털이 삐쭉빼쭉하다고 말할 거예요.

독수리와 올빼미 중에서 누가 잘못했다고 생각하니?

나는 (올빼미) 독수리)가 잘못했다고 생각해요, 왜냐하면

생김새를 잘못 말했기 때문이에요.

어휘다지기　　92p

낱말 뒤풀이

올빼미와 독수리가 낱말 퀴즈 뒤풀이를 열었어. 낱말 퀴즈를 풀어서 생각하는 힘을 다져 보자고. **낱말 카드를 보면서 문제를 풀어 봐.**

1 다음 중에서 맞는 낱말을 찾아 동그라미 쳐 보세요.

부럽뜨다 / (부릅뜨다) / 부릅떠다

(웬일) / 왠일 / 원일

다 비슷해 보이잖아….

2 다음 엉터리 낱말을 뜻과 어울리게 바르게 써 보세요.

바로 지금이라는 뜻 **감** 막

뜨거운 기운이라는 뜻 **령** 열

빨간색과 파란색의 자음자를 바꿔 써 봐.

어휘다지기　　93p

3 독수리와 올빼미가 너무 걱정되고 놀란 나머지 말을 잘못했어요. 이들이 잘못 말한 부분을 바르게 고쳐 보세요.

새끼 올빼미를 올라보면 어떡하지? 본 적이 없어서 잘 모르겠어.
➡ 몰 라 보 면

빈 둥지를 보자마자 스러지고 말았어. 못된 독수리! 약속을 지키지 않았어.
➡ 쓰 러 지 고

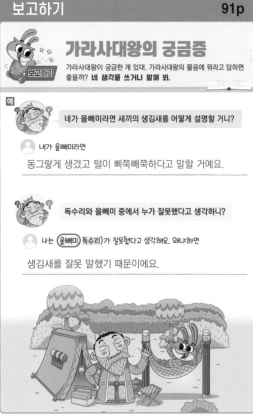

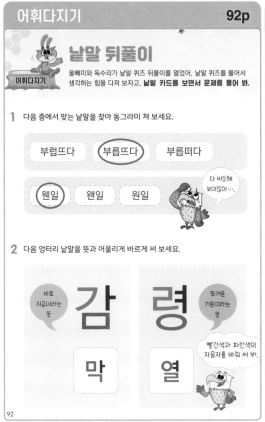

해설

90p

다른 동물들의 입장이 되어서 누가 잘못했는지 따져보는 활동입니다. 올빼미와 독수리 모두 잘못했다고 판단할 수 있어서 모두 답이 될 수 있습니다. 누가 잘못했다고 판단하든 왜 그렇게 생각하는지 이유를 물어봐 주시고, 아이의 생각을 존중해 주세요.

91p

이야기의 주제에 대한 자신의 생각을 정리하는 활동입니다. 아직 문장을 쓰기 어려운 아이들은 말로 표현할 수 있도록 지도해 주세요.

92~93p

낱말 카드에서 다룬 어휘를 다시 한번 문제로 풀어보면서 어휘력을 기르는 활동입니다. 낱말 카드를 보면서 문제를 풀 수 있도록 지도해 주세요.

낱말 카드

낱말 카드 **1** 낱말 등급 ★☆☆☆☆

열

덥거나 뜨거운 기운을 뜻하는 말입니다.

낱말 카드 **2** 낱말 등급 ★★☆☆☆

부릅뜨다

무섭고 사납게 눈을 크게 뜬다는 말입니다.

낱말 카드 **3** 낱말 등급 ★★☆☆☆

웬일

어찌 된 일인지
전혀 생각하지 못한 일을 뜻하는 말입니다.

낱말 카드 **4** 낱말 등급 ★★☆☆☆

몰라보다

알 만한 사실을 보고도
알지 못한다는 뜻입니다.

낱말 카드 **5** 낱말 등급 ★★☆☆☆

막

바로 지금, 바로 그때를 뜻하는 말입니다.

낱말 카드 **6** 낱말 등급 ★★☆☆☆

쓰러지다

힘이 빠지거나 병이나 고통으로
누워 있는 것을 뜻합니다.

낱말 카드

4장 올빼미와 독수리 / 빈칸에 낱말을 써 보세요.

올빼미도 눈을
[부][릅] 뜨면서 대꾸했어요.

SISO 진짜진짜 독서논술

4장 올빼미와 독수리 / 빈칸에 낱말을 써 보세요.

그게 [열] 을 마구 뿌려서
날씨가 따뜻해져.

SISO 진짜진짜 독서논술

4장 올빼미와 독수리 / 빈칸에 낱말을 써 보세요.

서로의 새끼들을
[몰][라][보]고
잡아먹을까 봐 걱정했어요.

SISO 진짜진짜 독서논술

4장 올빼미와 독수리 / 빈칸에 낱말을 써 보세요.

[웬][일]로 사이좋게
지내기로 약속했어요.

SISO 진짜진짜 독서논술

4장 올빼미와 독수리 / 빈칸에 낱말을 써 보세요.

올빼미는 놀라
[쓰][러] 질 뻔했어요.

SISO 진짜진짜 독서논술

4장 올빼미와 독수리 / 빈칸에 낱말을 써 보세요.

해가 [막] 지고
달이 [막] 뜰 무렵이었지요.

SISO 진짜진짜 독서논술

MEMO

MEMO

자르는 선 ✂

낱말 카드 1 낱말 등급 ☆☆☆☆☆

머슴

옛날에 농사일과 자질구레한 일을 해 주고
대가를 받던 남자를 이르는 말입니다.

낱말 카드 2 낱말 등급 ☆☆☆☆☆

얼떨떨하다

뜻밖의 일로 당황하거나 여러 가지 일이
복잡하여 정신을 차리지 못한다는 뜻입니다.

낱말 카드 3 낱말 등급 ☆☆☆☆☆

대꾸하다

남의 말을 그대로 받아들이지 않고
자신의 뜻을 바로 나타낸다는 뜻입니다.

낱말 카드 4 낱말 등급 ☆☆☆☆☆

부라리다

눈을 크게 뜨고
눈망울을 사납게 굴린다는 뜻입니다.

낱말 카드 5 낱말 등급 ☆☆☆☆☆

치르다

마땅히 주어야 할 돈을 내준다는 뜻입니다.

낱말 카드 6 낱말 등급 ☆☆☆☆☆

약다

꾀가 많고 눈치가 빠르다는 뜻입니다.

어렵거나 중요한 정도를 점수로 매겨 별점에 색칠해 보세요.

1장 냄새 값

빈칸에 낱말을 써 보세요.

그곳에서 우습기도 하고 □□□ 한 일이 있었어요.

Siso Study 진짜진짜 독서논술

1장 냄새 값

빈칸에 낱말을 써 보세요.

똘쇠는 아저씨네에서 일하는 □□ 이에요.

Siso Study 진짜진짜 독서논술

1장 냄새 값

빈칸에 낱말을 써 보세요.

아저씨는 똘쇠에게 눈을 □□□ 며 말했어요.

Siso Study 진짜진짜 독서논술

1장 냄새 값

빈칸에 낱말을 써 보세요.

똘쇠는 기가 막혀서 □□ 했어요.

Siso Study 진짜진짜 독서논술

1장 냄새 값

빈칸에 낱말을 써 보세요.

아저씨도 지독하지만 똘쇠도 참 □ 은 것 같죠?

Siso Study 진짜진짜 독서논술

1장 냄새 값

빈칸에 낱말을 써 보세요.

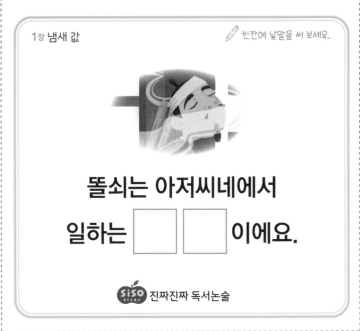

돈 소리를 들려주는 것으로 값을 □□ 는 수밖에요.

Siso Study 진짜진짜 독서논술

자르는 선

자르는 선

날말 카드 1 날말 등급 ☆☆☆☆☆

애타다

몹시 걱정이 되거나
안타깝고 답답하다는 뜻입니다.

날말 카드 2 날말 등급 ☆☆☆☆☆

보답하다

남에게 입은 은혜나 고마움을
갚는다는 뜻입니다.

날말 카드 3 날말 등급 ☆☆☆☆☆

샅샅이

빈틈없이 모두를 뜻하는 말입니다.

날말 카드 4 날말 등급 ☆☆☆☆☆

두둑하다

매우 두껍거나 넉넉하고 많다는 뜻입니다.

날말 카드 5 날말 등급 ☆☆☆☆☆

대단하다

몹시 크거나 많다,
혹은 뛰어나다는 뜻입니다.

날말 카드 6 날말 등급 ☆☆☆☆☆

내키다

하고 싶은 마음이 생긴다는 뜻입니다.

어렵거나 중요한 정도를 점수로 매겨 별점에 색칠해 보세요.

2장 죽은 돈? 산 돈?　빈칸에 낱말을 써 보세요.

동전을 찾으면

꼭 □ □ 할게.

siso study 진짜진짜 독서논술

2장 죽은 돈? 산 돈?　빈칸에 낱말을 써 보세요.

뭔가를 □ □ 게

찾고 있는 듯했지요.

siso study 진짜진짜 독서논술

2장 죽은 돈? 산 돈?　빈칸에 낱말을 써 보세요.

할머니의 □ □ 한

돈주머니를 보며 물었어요.

siso study 진짜진짜 독서논술

2장 죽은 돈? 산 돈?　빈칸에 낱말을 써 보세요.

냇물 속을

□ □ □ 뒤졌지요.

siso study 진짜진짜 독서논술

2장 죽은 돈? 산 돈?　빈칸에 낱말을 써 보세요.

□ 키지 않았지만

아이스크림을 사 먹었어요.

siso study 진짜진짜 독서논술

2장 죽은 돈? 산 돈?　빈칸에 낱말을 써 보세요.

죽은 돈이 산 돈이 될 수 있으니

□ □ 해요.

siso study 진짜진짜 독서논술

자르는 선

자르는 선

낱말 카드 1 낱말 등급 ☆☆☆☆☆

어질어질

정신이 흐리고 어지러운 느낌을 말합니다.

낱말 카드 2 낱말 등급 ☆☆☆☆☆

울렁울렁

가슴이 자꾸 두근거리거나
토할 것 같은 느낌을 말합니다.

낱말 카드 3 낱말 등급 ☆☆☆☆☆

밤새

밤이 지나는 동안을 말합니다.

낱말 카드 4 낱말 등급 ☆☆☆☆☆

매질

매로 때리는 일을 말합니다.

낱말 카드 5 낱말 등급 ☆☆☆☆☆

어푸어푸

물에 빠져서 물을 들이마시며
괴롭게 내는 소리나 모양을 뜻하는 말입니다.

낱말 카드 6 낱말 등급 ☆☆☆☆☆

허겁지겁

조급한 마음으로
몹시 서두르는 모양을 뜻하는 말입니다.

어렵거나 중요한 정도를 점수로 매겨 별점에 색칠해 보세요.

자르는 선 ✂

3장 뱃멀미와 바다

✎ 빈칸에 낱말을 써 보세요.

속이 □□□□,

꼭 죽을 것만 같았어요.

siso study 진짜진짜 독서논술

3장 뱃멀미와 바다

✎ 빈칸에 낱말을 써 보세요.

저는 머리가

□□□□ 했어요.

siso study 진짜진짜 독서논술

3장 뱃멀미와 바다

✎ 빈칸에 낱말을 써 보세요.

계속 울고불고하면

□□ 을 하겠다.

siso study 진짜진짜 독서논술

3장 뱃멀미와 바다

✎ 빈칸에 낱말을 써 보세요.

저는 □□ 끙끙 앓으며

울어 댔지요.

siso study 진짜진짜 독서논술

3장 뱃멀미와 바다

✎ 빈칸에 낱말을 써 보세요.

저는 □□□□ 창고

구석으로 기어 들어갔어요.

siso study 진짜진짜 독서논술

3장 뱃멀미와 바다

✎ 빈칸에 낱말을 써 보세요.

□□□□,

숨을 쉴 수가 없었어요.

siso study 진짜진짜 독서논술

자르는 선

낱말 카드 1 낱말 등급 ☆☆☆☆☆

열

덥거나 뜨거운 기운을 뜻하는 말입니다.

낱말 카드 2 낱말 등급 ☆☆☆☆☆

부릅뜨다

무섭고 사납게 눈을 크게 뜬다는 말입니다.

낱말 카드 3 낱말 등급 ☆☆☆☆☆

웬일

어찌 된 일인지
전혀 생각하지 못한 일을 뜻하는 말입니다.

낱말 카드 4 낱말 등급 ☆☆☆☆☆

몰라보다

알 만한 사실을 보고도
알지 못한다는 뜻입니다.

낱말 카드 5 낱말 등급 ☆☆☆☆☆

막

바로 지금, 바로 그때를 뜻하는 말입니다.

낱말 카드 6 낱말 등급 ☆☆☆☆☆

쓰러지다

힘이 빠지거나 병이나 고통으로
누워 있는 것을 뜻합니다.

어렵거나 중요한 정도를 점수로 매겨 별점에 색칠해 보세요.

자르는 선 ✂

4장 올빼미와 독수리

빈칸에 낱말을 써 보세요.

올빼미도 눈을

□ □ 뜨면서 대꾸했어요.

SiSO study 진짜진짜 독서논술

4장 올빼미와 독수리

빈칸에 낱말을 써 보세요.

그게 □ 을 마구 뿌려서

날씨가 따뜻해져.

SiSO study 진짜진짜 독서논술

4장 올빼미와 독수리

빈칸에 낱말을 써 보세요.

서로의 새끼들을

□ □ □ 고

잡아먹을까 봐 걱정했어요.

SiSO study 진짜진짜 독서논술

4장 올빼미와 독수리

빈칸에 낱말을 써 보세요.

□ □ 로 사이좋게

지내기로 약속했어요.

SiSO study 진짜진짜 독서논술

4장 올빼미와 독수리

빈칸에 낱말을 써 보세요.

올빼미는 놀라

□ □ 질 뻔했어요.

SiSO study 진짜진짜 독서논술

4장 올빼미와 독수리

빈칸에 낱말을 써 보세요.

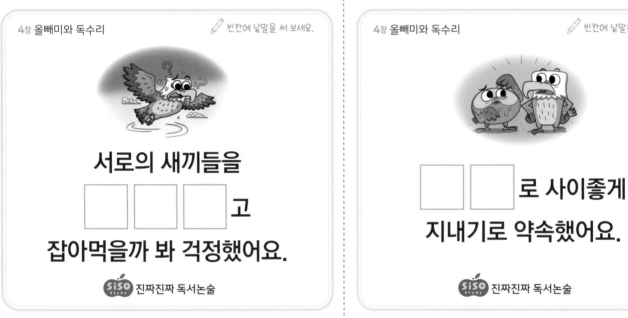

해가 □ 지고

달이 □ 뜰 무렵이었지요.

SiSO study 진짜진짜 독서논술

p23

p26

p27

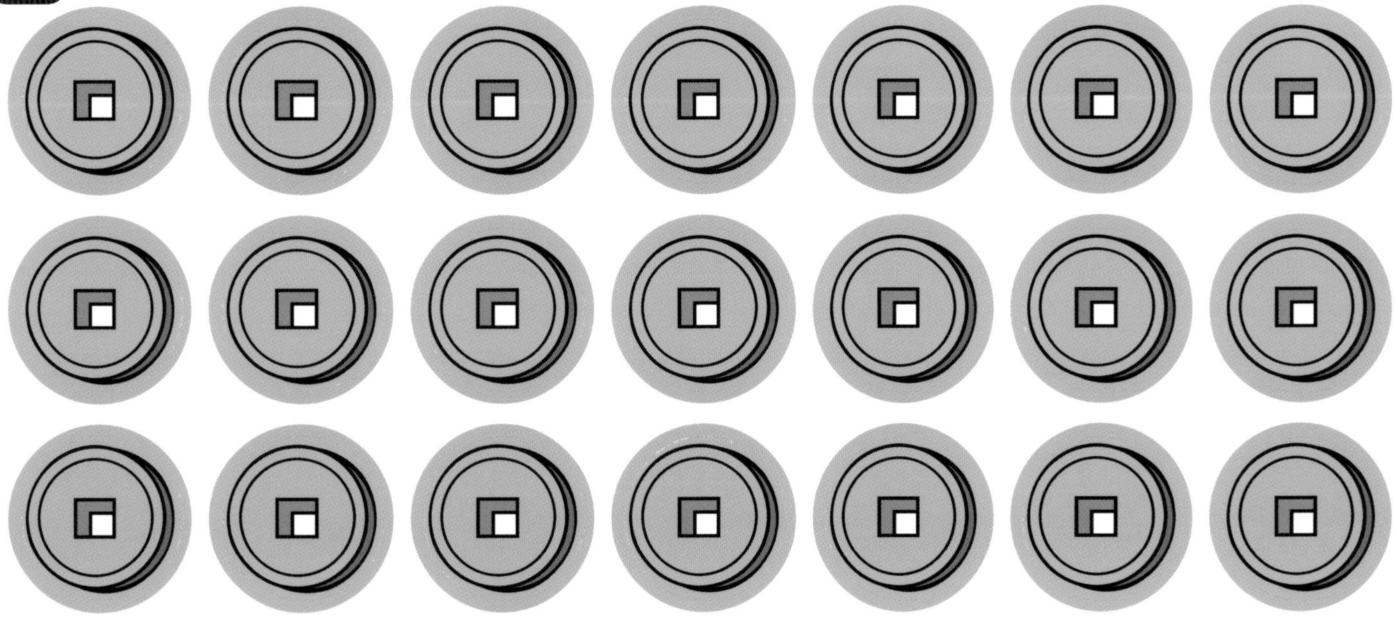

p41

p50

예쁜 머리핀을 사서
가게 아주머니가
동전 한 닢을 벌었어.

맛있는 아이스크림을
사 먹어서 가게 아저씨가
동전 한 닢을 벌었어.

p52

두　대　보

p65

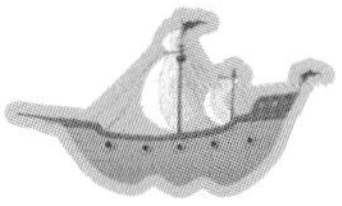

p90

p63

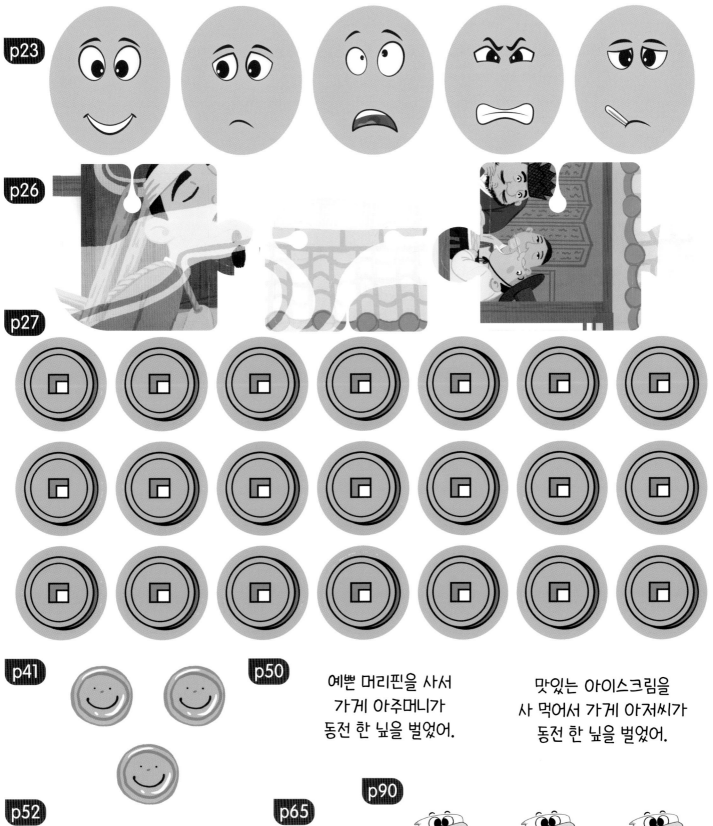